최원휘 SELF 교육학

미라클모닝 300제
모범답안 해설

최원휘 저

박문각

CONTENTS
이 책의 차례

PART I 교육철학 및 교육사

Chapter 01 교육의 기초 … 6
Chapter 02 한국교육의 역사 … 8
Chapter 03 서양교육의 역사 … 9
Chapter 04 교육철학에 대한 이해 … 12

PART II 교육과정

Chapter 01 교육과정의 기본적 이해 … 20
Chapter 02 교육과정 논의의 역사 … 25
Chapter 03 교육과정의 유형 … 28
Chapter 04 교육과정의 개발 및 설계 … 35
Chapter 05 교육과정의 운영 및 평가 … 45
Chapter 06 우리나라의 교육과정 … 47

PART III 교육방법

Chapter 01 교수학습 및 교육공학의 이해 … 54
Chapter 02 교수학습이론 … 57
Chapter 03 교수설계 … 68
Chapter 04 교수매체에 대한 이해 … 72
Chapter 05 교수학습 실행 … 75
Chapter 06 디지털 대전환 시대 새로운 교수학습방법 … 78

PART IV 교육평가

Chapter 01 교육평가의 기본적 이해 … 84
Chapter 02 교육평가의 유형 … 85
Chapter 03 평가방법의 선정과 활용 … 90
Chapter 04 컴퓨터화 검사와 수행평가 … 94
Chapter 05 교육연구방법론 … 96

PART V 교육심리학

Chapter 01 교육심리학의 기본적 이해
Chapter 02 학습자에 대한 이해 ⋯ 100
Chapter 03 학습자의 동기 ⋯ 106
Chapter 04 학습자의 발달 ⋯ 111
Chapter 05 교수학습의 이해 ⋯ 116

PART VI 생활지도 및 상담

Chapter 01 생활지도와 진로지도 ⋯ 126
Chapter 02 정신건강과 학생상담 ⋯ 130

PART VII 교육행정학

Chapter 01 교육행정의 기본적 이해: 교육행정 총론 ⋯ 136
Chapter 02 교육행정의 구체적 이해 ①: 동기이론 ⋯ 138
Chapter 03 교육행정의 구체적 이해 ②: 지도성이론 ⋯ 141
Chapter 04 교육행정의 구체적 이해 ③: 조직이론 ⋯ 145
Chapter 05 교육행정의 구체적 이해 ④: 의사소통이론 ⋯ 153
Chapter 06 교육행정의 실제 ⋯ 155
Chapter 07 학교 및 학급경영 ⋯ 162

PART VIII 교육사회학

Chapter 01 교육사회학의 기본적 이해
Chapter 02 교육사회학이론 ⋯ 168
Chapter 03 교육과 평등 ⋯ 172
Chapter 04 교육과 경쟁 ⋯ 175
Chapter 05 교육과 문화 ⋯ 177
Chapter 06 평생교육 ⋯ 179

※ 차례는 기본서와 동일함. 단, 관련 문항이 없는 경우 제목만 표기하였음

최원휘 SELF 교육학
미라클모닝 300제
모범답안 해설

I

교육철학 및 교육사

Chapter 01 교육의 기초 001~003

001 교육의 비유 ●○○○○

교사가 갖는 교육관에 따라 교육 방법이 달라진다. A 교사는 학생들에게 일정한 내용을 주입하여 원하는 인간으로 만드는 것을 강조하는데, 이러한 관점을 '주형의 비유'라고 한다. 이 관점에서는 교사 중심의 내용 전달을 강조하므로 **강의식 수업**이 부합한다. B 교사는 학생들의 특성에 맞는 교육환경 조성을 강조하는데, 이러한 관점을 '성장의 비유'라고 한다. 이 관점에서는 학생에 맞는 교육환경 조성을 통해서 스스로 성장할 수 있는 교육을 강조하므로 **자기주도학습 방법**이 부합한다. 주형의 비유와 부합하는 강의식 수업의 경우 최소한의 기초 내용을 전달하는 것에 집중하므로 학습자들의 **기초학력을 보장**한다는 점에서 교육적 효과를 갖고, 성장의 비유와 부합하는 자기주도학습 방법의 경우 학습자의 개인차를 고려하여 **학습자 맞춤형 성장**을 도모한다는 점에서 교육적 효과를 갖는다.

002 교육의 목적 ●●○○○

교사들이 추구하는 교육목적에 따라 교수설계의 방향이 달라진다. 지문의 교사별로 교육목적 달성을 위해 고려해야 할 점은 다음과 같다. 첫째, B 교사는 교육의 수단적 목적보다는 교육 자체의 목적인 내재적 목적을 강조하는데, 내재적 목적은 교과 내용마다 달라질 수 있으므로 교수설계 시 **교과의 성취 기준을 고려**할 필요가 있다. 둘째, A 교사는 교육을 통한 미래 사회 준비와 같은 외재적 목적을 강조하는데, 외재적 목적은 사회의 수요에 따라 달라질 수 있으므로 교수설계 시 **사회의 인재상, 직업적 수요 변화를 고려**할 필요가 있다. 이때 각 교사들이 설정할 수 있는 수업 목표의 예시는 다음과 같다. 첫째, B 교사는 문학 수업에서 "**문학 작품을 감상하고 토론함으로써 언어적 표현력과 심미적 감수성을 기른다.**"와 같은 목표를 진술할 수 있다. 둘째, A 교사는 수학 수업에서 "**경제활동에 필요한 금융 계산, 데이터 분석 기술을 습득하고 적용할 수 있다.**"와 같은 목표를 진술할 수 있다.

003 교육의 이념 ●●●○○

교육 현장에서는 헌법 제31조 제1항에서 강조하는 형평성과 수월성을 조화롭게 추구하면서 모든 학습자를 위한 맞춤형 교육을 실천할 수 있다. 이때 두 가치가 갖는 교육적 의의는 다음과 같다. 첫째, 어떤 경우에도 차별을 받지 않게 하는 형평성의 가치는 **교육 불평등을 해소하고 모든 학생들에게 동등한 기회를 부여하며, 최소한의 성취를 보장**한다는 점에서 교육적 의의가 있다. 둘째, 개인별 특성에 따라 잠재적 능력을 최대한 발휘하도록 하는 수월성의 가치는 **학생의 선택권을 보장하고 학생 맞춤형 교육을 실현**한다는 점에서 의의가 있다. 이러한 형평성과 수월성의 가치를 추구할 수 있는 실천 방안은 다음과 같다. 첫째, 형평성의 가치 추구와 관련하여 모든 학생들에게 **동등한 기본 내용**을 가르치되, **기초 학력 저하가 발생한 학생에게는 보충학습**을 제공한다. 둘째, 수월성의 가치 추구와 관련하여 **학생의 수준과 수요별로 다양한 교육 내용 선택권을 부여**하고 학습자의 성취에 따라 **맞춤형 진로·진학 프로그램**을 제공한다.

Chapter 02 한국교육의 역사 004~005

004 한국교육사

교육목적을 달성하기 위해 시험방식별 분석을 바탕으로 다양한 시험방식을 적용할 수 있다. 지문에 언급된 강경 방식은 평가자와 피평가자가 문답을 통하여 외운 것을 평가하는 방식이라 할 수 있다. 이러한 방식을 현재 교육 현장에 적용하는 경우 문제점은 다음과 같다. 첫째, 교육의 본질인 사고력과 이해력보다는 **암기력을 평가하게 되어 평가의 타당도가 떨어진다는 점**, 둘째, 대면 방식의 말하기 평가의 경우 **평가자의 사심이 반영되어 평가의 신뢰도가 떨어진다는 점**을 들 수 있다. 따라서 지문에서 제시된 제술 방식과 같은 글짓기 평가를 교육 현장에 적용할 수 있는데, 이러한 시험방식을 현장에 적용할 때 유의해야 할 점을 그 이유와 함께 제시하면 다음과 같다. 첫째, 학생들의 문해력 평가로 치우쳐 타당도가 떨어지지 않도록 **학생들의 어휘 수준 등을 고려하여 문항을 제작**한다. 둘째, 평가자의 주관이 개입되어 신뢰도가 떨어지지 않도록 **사전에 평가기준인 루브릭을 분명하게 작성**한다.

005 한국교육사

국가에서 강조하는 교육개혁의 방향에 따라 교수설계의 방향이 달라진다. 지문의 교육개혁안은 교육입국조서로서, 교육을 통한 부강을 강조한다는 점에서 교육의 외재적 목적을 강조하고 있다. 이러한 목적이 갖는 특징은 다음과 같다. 첫째, 교육을 통해서 국력을 강화시킨다는 점에서 **교육의 수단성**을 강조한다. 둘째, 사회 변화에 대응하여 학습해야 하는 내용이 달라져야 한다는 점에서 **교육의 변화성**을 강조한다. 즉, 해당 교육개혁안은 교육의 실용적 측면을 강조하는데, 이를 현대적으로 해석하여 교수설계를 하는 경우 구체적 예는 다음과 같다. 첫째, 교육 내용의 측면에서 **문화유산 등 지역사회 자원, 온라인 자원 등 교과서 외의 내용**을 포함한다. 둘째, 교육 방법의 측면에서 **토의·토론, 프로젝트 활동 등 활동 중심의 수업**을 포함한다.

Chapter 03 서양교육의 역사 006 ~ 011

006 고대의 교육 ●●●○○

교육관에 따라 교수설계의 방향이 변화한다. 발표문에서 교장은 진리 그 자체를 추구하면서 무지로부터 자유로운 교육인 자유교육을 교육관으로 지향하고 있다. 이러한 교육관은 사회 변화, 지식 변화에 휘둘리지 않고 **학습자의 인격적 성장에 초점을 두면서 교육을 안정적으로 운영**할 수 있다는 점에서 장점을 갖지만, 학생들의 흥미와 관심을 충분히 고려하지 않아 **학생들의 학습 동기 유발이 곤란**하다는 단점을 가진다. 한편, 자유교육의 관점에서 교육과정을 설계하는 경우 강조점은 다음과 같다. 첫째, 목표 설정 측면에서 교육을 통한 다른 목적의 달성, 즉 수단성이 아니라 **교육 자체가 갖는 내재적 목적**을 강조한다. 둘째, 내용 선정 측면에서 변화하는 지식보다는 **고대로부터 이어져 오는 인류의 가치, 고전** 등을 강조한다.

007 고대의 교육 ●●●●○

질문을 통해 학생들의 수업 참여를 이끌 수 있다. A 교사의 질문 방식을 소크라테스의 문답법을 통해 설명하면 다음과 같다. 첫째, **질문을 통해 고정관념을 깨뜨리는 질문**을 하는데, 이는 소크라테스의 대화법 중 **반문법**에 해당한다. 둘째, **새로운 진리에 다가갈 수 있도록 질문**하는데, 이는 **산파술**에 해당한다. 한편, 교실 내에서 질문 수업을 진행할 때 교사의 유의점은 다음과 같다. 첫째, 학생들이 질문 자체를 이해하지 못하는 것을 방지하기 위해 **학생 수준에 맞는 어휘를 사용**한다. 둘째, 답변의 압박감을 느끼지 않도록 **질문 후 답을 생각할 충분한 시간**을 부여한다. 셋째, 수업이 지나치게 끊기지 않도록 **적정한 횟수로** 질문한다. (특정 학생만 답하지 않도록 여러 학생들에게 고루 질문한다.)

008 중세 및 근대의 교육 ●●●●○

실학주의적 접근을 통해 교육 효과를 높일 수 있다. 코메니우스는 이미지를 활용한 교육방식을 강조하였는데, 이러한 방식이 갖는 교육적 효과는 다음과 같다. 첫째, 정의적 측면에서 학생들이 직접 경험할 수 있는 시각 자료를 제시함으로써 **학생들의 주의집중을 이끌고 학습 동기를 유발**할 수 있다. 둘째, 인지적 측면에서 글과 이미지를 결합함으로써 이중부호화가 일어나 **지식의 파지를 촉진**할 수 있다. 이러한 교육 방법을 적용한 구체적 수업사례는 다음과 같다. 첫째, **역사 수업 시간**에 단순히 연도별 사건만 나열하는 것이 아니라, **삽화나 다큐멘터리**를 보여준다. 둘째, **과학 수업 시간**에 이론과 원리를 말과 글로만 설명하는 것이 아니라, **실험 영상**을 보여주면서 수업한다.

009 중세 및 근대의 교육 ●●●●○

루소의 자연주의 교육을 통해 보다 나은 교육을 모색할 수 있다. 루소는 ≪에밀≫을 통해 교육원리로 자연적 성장의 원리, 경험을 통한 활동의 원리, 개별화의 원리를 제시한다. 이러한 원리에 근거할 때 A 교사의 교육방식을 다음과 같이 비판할 수 있다. 첫째, A 교사는 무엇을 공부할지 교사의 계획에 맞추어서만 진행하는데, 이는 개별적 특성을 고려하는 **개별화의 원리**에 부합하지 않는다. 둘째, A 교사는 교과서에 충실한 교육을 진행하는데, 이는 실제 경험을 강조하는 **경험을 통한 활동의 원리**에 부합하지 않는다. 한편, 청소년기에는 독립심이 발달하고 이성과 합리성에 눈을 뜨지만, 자기중심적이고 비논리적인 특성이 강하다. 이를 고려했을 때 교사의 역할은 다음과 같다. 첫째, 학생의 개별적 특성을 정확히 파악하면서 **학생이 보여주는 미성숙한 모습을 관찰하는 역할**을 한다. 둘째, 학생들이 교사를 믿고 의지할 수 있도록 **본보기(모델)로서의 역할**을 한다.

010 중세 및 근대의 교육 ●●●○○

주정주의를 강조하는 신인문주의의 대표적 학자인 헤르바르트는 흥미가 어떤 것을 위한 수단이 아니라 그 자체로 목적이 될 수 있다고 강조했는데, 이러한 흥미를 '다면적 흥미'라고 한다. **다면적 흥미는 인류가 지금까지 품어 온 생각의 총체인 사고권이 담긴 교과를 이상적으로 내면화한 아동의 마음 상태**를 의미한다. 이러한 다면적 흥미는 학습 내용에 대한 공감과 풍부한 교과 경험으로부터 유발된다. 다면적 흥미를 유발하기 위한 구체적 교육 방법은 다음과 같다. 첫째, 학습 내용을 적용하는 상황을 제시하고 이를 바탕으로 **역할극 수업**을 진행한다. 둘째, 하나의 주제에 대하여 다양한 교과 지식을 경험하게 하는 **통합 교육과정**을 운영한다.

011 중세 및 근대의 교육 ●●●●●

체계적 교육을 위해 헤르바르트 4단계 교수론을 적용할 수 있다. 4단계 교수론은 명료화 - 연합 - 체계 - 방법으로 구성되는데, A 교사가 명료화 단계 이후에 실시할 수 있는 구체적 교수·학습 활동과 그 교육적 효과는 다음과 같다. 첫째, **연합 단계**에서는 학생들이 학습 내용을 **기존에 배운 개념과 비교하도록 질문을** 던지거나, 학습 내용과 연결된 토론을 벌일 수 있다. 이는 학생들이 **기존에 알고 있는 지식과 새로운 지식을 연결**하게 한다는 교육적 효과를 지닌다. 둘째, **체계 단계**에서는 **개념도나 마인드맵**을 활용하여 학생들이 핵심 내용을 정리하게 할 수 있다. 이는 학생들이 **새로운 지식을 구조적·체계적으로 이해**하는 데 도움을 준다는 교육적 효과를 지닌다. 셋째, **방법 단계**에서는 **실험**을 통해 이론을 검증하거나, **사례 분석, 프로젝트 기반 학습** 등을 활용하여 학습 내용을 현실에 적용하는 활동을 할 수 있다. 이는 단순한 지식 습득을 넘어 **지식의 전이를 촉진하거나 문제해결 능력을 함양**한다는 교육적 효과를 지닌다.

Chapter 04 교육철학에 대한 이해 012 ~ 020

012 교육철학 사조 ●●○○○

교사가 가진 교육철학은 학생들의 기초학력 등 학업성취에 영향을 미친다. A 교사가 이전에 가졌던 교육철학은 진보주의로, 이는 학생의 흥미와 관심을 고려하였다는 점에서 알 수 있다. 진보주의의 주된 교육 방법으로는 학생의 **흥미와 관심을 고려한 문제해결학습**을 들 수 있다. 하지만 진보주의는 지나치게 학생의 흥미와 관심만 고려하는 경우 기본적인 내용에는 소홀하여 **기초학력 저하가 발생**할 수 있다는 한계를 지닌다. 이에 A 교사는 최근에 "전통 문화유산 중 가르칠 만한 것을 가르치자"라는 교육철학에 관심을 갖게 되었는데, 이를 '본질주의'라고 한다. **본질주의의 목적은 기본 교과를 통해 성공적 삶을 영위하기 위한 기초 소양, 필요 행동을 습득**하는 데 있다. 이를 실천하기 위한 방법으로는 **교과서를 중심으로 교사의 설명을 통해 이루어지는 강의식 수업**을 제시할 수 있다.

013 교육철학 사조 ●○○○○

학습자의 전인적 성장을 실현하기 위해 이와 관련한 교육철학 사조를 살펴볼 필요가 있다. 제시문의 7대 강령에서는 학생의 자유·흥미 등을 강조하고 있는데, 이를 강조한 교육철학 사조를 '**진보주의**'라고 한다. 진보주의의 **교육목적은 아동의 흥미와 관심을 고려하는 교육을 통한 아동의 계속적 성장**이라고 할 수 있다. 이러한 진보주의의 강령을 적용한 교실 수업 방안은 다음과 같다. 첫째, 학생들의 흥미를 높이고 자발적인 학습을 촉진하기 위해 **프로젝트 학습**을 활용한다. 둘째, 학생들이 지성·덕성·사회성 등을 발휘할 수 있는 문제를 제시하고 협동을 통해 문제를 해결할 수 있도록 **협력적 문제중심학습**을 활용한다.

014 교육철학 사조 ●●○○○

교사가 전제하는 교육철학 사조에 따라 교육의 방향이 달라진다. A 교사는 학생의 경험과 탐구를 강조하는 진보주의 교육철학을, B 교사는 문화유산과 체계적 학습을 강조하는 본질주의 교육철학을 전제하고 있다. 이에 근거할 때 교사별 학습경험 선정의 기준은 다음과 같다. 첫째, **A 교사의 경우** 학생이 실제적으로 경험하게 하기 위해서 학습경험 선정 시 **학습자의 흥미나 수준에 부합하는지 여부**를 기준으로 활용할 수 있다. 둘째, **B 교사의 경우** 학습경험이 심화활동의 기초가 되어야 하므로 학습경험 선정 시 기초적 내용을 포함하면서 **체계적이고 조직화되어 있는지 여부**를 기준으로 활용할 수 있다. 한편, 수업 시 각 교사의 역할은 다음과 같다. 첫째, **A 교사의 경우** 학습자의 직접적·주체적 활동을 강조하므로 교사는 학생들이 **스스로 학습할 수 있도록 지원하는 촉진자**로서의 역할을 수행한다. 둘째, **B 교사의 경우** 학생들이 **필수적인 내용을 구조적으로 학습할 수 있도록 충실히 설명하는 지식 전달자**로서의 역할을 수행한다.

015 교육철학 사조 ●●●●○

아들러는 『파이데이아 제안』에서 교육은 특정 계층을 위한 선별적 제도가 아니라, 모든 시민이 인간다운 삶을 살아가기 위한 능력을 기르는 과정이어야 한다고 보았다. 이에 근거한 교육 내용의 특징은 고전 읽기, 인문학, 수학, 과학, 예술 등 **지적·도덕적 성장에 필요한 기초 내용 중심**이라는 점이다. 파이데이아 제안에서 제시한 정보 습득, 기능 습득, 이해와 판단력 함양 등의 수업 목표를 달성하기 위한 수업 운영 방안은 다음과 같다. 첫째, 교사가 핵심 개념을 설명하는 **강의식 수업**을 통해 기본 정보 습득을 지원한다. 둘째, 학생들이 개별 또는 협력 활동을 통해 **기능을 연습하는 실습 중심 수업**을 운영하고 **교사는 코칭**한다. 셋째, **소크라테스식 질문**을 바탕으로 대화와 토론 중심의 세미나 수업을 실시하여 학생들이 이해력과 판단력을 기를 수 있도록 해야 한다. 이처럼 지식·기능·사고를 아우르는 수업 운영은 민주사회의 시민으로서 필요한 자질을 함양하는 데 기여한다.

016 현대의 교육철학 ●●●●●

만남을 통하여 교육의 질을 개선할 수 있다. 부버는 실존주의 교육철학을 통해 나와 그것의 관계를 강조하는 이전의 교육방식을 비판하는데, 이러한 방식의 문제점은 다음과 같다. 첫째, 교사가 학생을 객체화하여 단순한 지식 전달의 대상으로 삼는데, 이 과정에서 **학생들은 교육과정에서 자신의 주체성을 상실하고, 정답을 찾는 데만 집중**하게 된다. 둘째, 일방향적 소통에 기반하여 교사가 정보를 전달하고 학생은 이를 받아들이는 구조로 되어 있어, **상호작용과 인격적 관계 형성이 어렵게 된다**. 이에 대한 해결책으로 부버는 나와 너의 관계를 형성하는 만남을 통한 교육을 새로운 교육방식으로 강조하였다. 이러한 방식의 구체적 적용 방안은 다음과 같다. 첫째, **교사와 학생 간의 문답법 등 대화 중심 교육**을 도입하여 교사와 학생이 상호 존중하는 관계 속에서 의미 있는 학습경험을 만들어갈 수 있도록 해야 한다. 둘째, **정기적인 1:1 피드백 등 학습 상담**을 실시하여 교사가 학생의 학습 진도와 정서적 상태를 이해하고 맞춤형 피드백을 제공한다.

017 현대의 교육철학 ●●○○○

허스트는 모든 것의 기초로서 지식의 형식을 강조하였던 입장에서 사회적 실재를 강조하는 입장으로 변화한다. 변화된 관점에 따를 때 '지식'이란 **삶과 분리된 추상적 대상이 아니라, 실제 사회에서 의미 있게 활용되는 실천적 도구**라 할 수 있다. 이때 학습자는 지식의 수동적 수용자가 아니라, **사회적 실천에 능동적으로 참여하는 주체적 존재**라고 할 수 있다. 이와 같이 변화된 입장을 교실에 적용하기 위한 방법은 다음과 같다. 첫째, **프로젝트 기반 학습**을 통하여 학생들이 실제 사회적 문제를 탐구하고 해결하는 경험을 제공하는 것이 필요하다. 둘째, **역할놀이나 협동학습**과 같이 학생들이 공동체 속에서 다양한 역할과 책임을 경험할 수 있는 활동을 도입할 수 있다.

018 현대의 교육철학 ●●●○○

학생들의 비판적 능력을 함양하기 위해 비판이론을 활용할 수 있다. B 교사는 비판적 능력의 함양을 위해 합리적 의사소통을 수업에 적용할 것을 강조하고 있다. 이때 합리적 의사소통은 모두의 합의를 통해 진리를 알아가는 것으로, **모든 참여자가 강제 없이 평등하게 의견을 제시할 수 있는 환경을 보장하는 것이 기본 조건**이라 할 수 있다. 이를 실천하는 수업사례로는 **국어과 수업에서 문학 작품 속 주인공의 태도에 관해 모두가 참여하며 자유롭게 자신의 해석과 감정을 논의하는 토의토론 수업**을 제시할 수 있다. 한편, C 교사는 학생들이 사회현실을 비판적으로 인식하도록 도와주는 교육을 언급하고 있는데, 프레이리는 이러한 교육의 명칭을 '**문제제기식 교육**'이라 하였다. 이는 학생들이 문제에 대해 비판적으로 토론하는 수업으로, 이때 교사는 일방적 지식 전달자가 아닌, **학생과 함께 현실을 비판적으로 성찰하고 대화하는 공동 탐구의 파트너**로서 역할을 수행한다.

019 현대의 교육철학 ●●●●○

제시문에서 언급된 교육철학 사조는 다양성·상대성·의미의 재창출을 강조하는 포스트모더니즘에 해당한다. 이 관점에 따라 설정할 수 있는 수업 목표 사례는 다음과 같다. 첫째, **다양성·상대성**의 측면에서 "**학생이 동일한 사회현상에 대한 다양한 관점을 비교·분석할 수 있다.**"라는 목표를 수립할 수 있다. 둘째, **의미의 재창출** 측면에서 "**학생이 특정 주제나 문화에 대해 자신의 경험을 바탕으로 새로운 의미를 창출할 수 있다.**"라는 목표를 수립할 수 있다. 이러한 목표 달성을 위한 교육자원과 방법은 다음과 같다. 첫째, 서로 다른 관점을 담은 **신문 기사나 영상 뉴스를 교육자원으로 활용**하면서 학생들 간 다양한 관점을 비교하는 **비판적 토론 수업**을 적용할 수 있다. 둘째, 다의적 해석이 가능한 **문학 작품이나 광고 이미지 등을 교육자원으로 활용**하면서 학생들이 자신의 해석을 자유롭게 표현할 수 있도록 하는 **역할극이나 재서사화 활동 수업**을 적용할 수 있다.

020 현대의 교육철학 ●●●●○

실천성을 갖춘 인재의 육성을 위해서 인성교육의 방향을 변화시켜야 한다. 기존 모더니즘적 인성교육의 한계로는 인성은 정의적 영역이므로 **지식 위주의 인성교육은 실제적인 행동 변화로 이어지기 곤란**하다는 점을 들 수 있다. 이에 대한 대안으로 A 교사는 홀리스틱 철학을 반영한 인성교육을 강조한다. 이 인성교육의 특징은 다음과 같다. 첫째, 자신이 가지는 여러 욕구나 감정, 생각들을 인정하면서 그러한 욕구 등이 **균형과 조화를 이루도록 교육 내용을 구성**한다. 둘째, 인성과 관련한 지식 전달뿐 아니라 타인과의 상호작용 등 **다양한 교육 방법을 포괄**한다. 셋째, 현재 분리되어 있는 신체와 마음, 논리와 직관, 지역과 학교, 자신과 타인 등을 이분법적 접근에서 벗어나 **바람직한 성장이라는 측면에서 연관**시킨다.

MEMO

최원휘 SELF 교육학
미라클모닝 300제
모범답안 해설

II

교육과정

Chapter 01 교육과정의 기본적 이해 021 ~ 030

021 교육과정의 의미 ●○○○○

교육과정의 본질적 의미를 탐구하면서 교육과정 운영 방향을 설정할 수 있다. A 교사는 '달리기'에 초점을 두는 관점을 강조하는데, 이 관점에 따라 교육과정을 운영할 때 기대할 수 있는 교육적 효과는 다음과 같다. 첫째, 교사와 학생의 지속적인 상호작용을 강조하면서 학생의 능동적인 수업 참여를 통해 **학습자 맞춤형 교육을 실현**할 수 있다. 둘째, 모든 교육적 경험인 과정을 중시하면서 전인적 성장에 초점을 둔 **과정 중심 교육을 실천**할 수 있다. 이러한 관점에 따라 교육과정을 운영할 때 고려해야 할 원칙은 첫째, **학습자 중심성의 원칙**이다. 교육목적 설정, 내용과 방법 선정 등에 있어서 학생의 특성을 반영하고 학습자의 참여를 극대화한다. 둘째, **균형성의 원칙**이다. 장기적인 관점에서 학습자의 인지적·정의적 영역의 균형 있는 성장을 도모한다.

022 교육과정의 성격 ●●○○○

학교 교육과정 편성 시 중요 요소를 고려하면서 교육과정 운영의 수월성과 형평성을 균형 있게 반영할 수 있다. 학교 교육과정 편성 시 고려해야 할 요소와 그 방법은 다음과 같다. 첫째, 국가 교육과정과의 통일성 확보를 위해 **교과 협의회 등을 통해 교과의 성취 기준**을 고려한다. 둘째, 학습자 맞춤형 교육을 위해 **지필 진단평가, 관찰과 면담 등을 통해 학습자의 특성**을 고려한다. 셋째, 사회에 필요한 인재를 육성하기 위해 **마을 교육공동체 활동, 학교운영위원회 등을 통해 사회의 수요, 사회에서 필요로 하는 역량** 등을 고려한다.

023 교육과정의 구분 ●●●●○

공식적 교육과정의 범위가 확대되는 상황에서 국가와 단위 학교의 권한 조정을 통해 교육의 질을 높일 수 있다. 전문가의 언급처럼 최근 공식적 교육과정의 범위가 확대되고 있는데, 이러한 범위 확대가 갖는 교육적 의의는 다음과 같다. 첫째, 학생들의 인지적 영역뿐 아니라 정의적 영역의 발달까지 국가가 책임진다는 **책임 교육의 확대**라는 의의를 갖는다. 둘째, 학생들이 원하는 자율·자치 활동, 동아리 활동을 교육과정에 반영하면서 **학습자 맞춤형 교육의 실현**이라는 의의를 갖는다. 한편, 교육과정의 확대가 국가의 통제 강화 등으로 이어지지 않도록 국가 교육과정은 기본 사항만 제시하는데, 이러한 교육과정 대강화 상황에서 단위 학교의 교육과정 편성·운영 방향은 다음과 같다. 첫째, 교육과정 편성 시 국가 교육과정의 **성취 기준을 고려하여** 통일성을 확보하면서도, 학생들의 전인적 성장을 위하여 **다양한 학습 경험**을 편성한다. 둘째, 교육과정 운영 시 학습자 맞춤형 교육을 위해 **학교의 시설, 환경, 학생들의 수요 등을 반영하여 융통성 있게 운영**한다.

024 교육과정의 구분 ●●●●○

의도하지 않았던 교육 결과를 사전에 고려하면서 교육 목표의 효과적 달성을 추구할 수 있다. A 교사의 언급처럼 의도나 계획 없이도 학습하게 된 교육과정을 '잠재적 교육과정'이라 하는데, 이 교육과정이 발생한 구체적 예시는 다음과 같다. 첫째, **교사가 시험 점수를 기준으로 공개적으로 학생들의 순위를 매기고, 상위권 학생에게만 상장이나 칭찬을 제공하는 경우 학생들이 타인과의 비교, 경쟁, 서열화된 인간관계를 자연스럽게 내면화**하는 것이다. 둘째, **수업 규칙을 만들 때 학생들의 의견은 전혀 반영하지 않고, '교사가 정하면 따라야 한다'는 방식으로 운영**하는 경우 학생들이 **권위에 대한 무비판적 복종, 수동적 태도를 학습**하는 것이다. 이러한 잠재적 교육과정을 고려할 때 수업 준비 시 교사가 확인해야 할 사항은 다음과 같다. 첫째, 수업 중 교사가 무의식중에 하는 **언어습관, 칭찬 방식을 확인**한다. 둘째, 수업 규칙 등 **공식화된 제도에 따라 부여된 교사의 권력을 확인**한다.

025 교육과정의 구분 ●●○○○

학생들의 비판의식을 함양하기 위해 교육과정을 새롭게 보고 학교에 대한 대안을 마련할 필요가 있다. 지문에서는 의도와 계획에 따라 지배계층의 이익을 반영하는 숨겨진 교육과정을 언급하는데, 이러한 교육과정은 학생들의 사고와 행동에 악영향을 미칠 수 있다. 이때 교사에게 필요한 역량은 **국가 교육과정을 비판적으로 바라보고 재구성하는 교육과정 문해력**이라 할 수 있다. 한편, 숨겨진 교육과정을 운영하는 학교를 폐지하고 그에 대한 대안으로 학습망을 고려할 수 있는데, 학습망에 포함되어야 하는 요소는 다음과 같다. 첫째, 누구나 쉽게 학습자료에 접근할 수 있는 **자료망**이다. 둘째, 함께 학습할 수 있는 사람들의 인명록인 **동료망**이다. 셋째, 새로운 지식과 기술을 전수해 줄 수 있는 인명록인 **교육자망**이다.

026 교육과정의 구분 ●●●○○

국가 교육과정과 같은 공식적 교육과정을 보완하기 위해 교사는 영 교육과정을 고려할 수 있다. 가르칠 만한 가치가 있음에도 고의로 배제되는 영 교육과정이 발생하는 이유는 다음과 같다. 첫째, **현실적 측면**에서 **정해진 교과 수업 시수, 교과서의 분량 등을 고려**했을 때 상대적으로 중요한 내용에 선택과 집중하는 과정에서 영 교육과정이 발생한다. 둘째, **사회적 측면**에서 **사회의 안정을 위해** 사회의 이념과 배치되는 내용을 삭제하는 과정에서 영 교육과정이 발생한다. 이러한 국가 교육과정의 보완을 위해서 교사는 교과서 외 보충 자료를 제작할 수 있는데, 이때 유의해야 할 점은 다음과 같다. 첫째, 학습자에게 과한 학습 부담을 유발하지 않도록 **보충 자료를 과도하게 제작하지 않는다**. 둘째, 국가 교육과정과 충돌되지 않도록 국가 교육과정의 **성취 기준에 근거하여 보충 자료를 제작한다**.

027 교육과정의 구분 ●●●○○

학습자의 학습권 보장과 균형 있는 성장을 위해 영 교육과정을 고려하여 교육과정을 개발할 수 있다. A 교사는 어떤 의도에 의해 빠진 교육 내용이 있다는 영 교육과정을 언급하고 있는데, 영 교육과정이 학습자에게 미치는 부정적 영향은 다음과 같다. 첫째, **인지적 측면**에서 중요한 내용에 대한 학습 자체를 제한하여 **균형 있는 인지 발달을 제약**한다. 둘째, **정의적 측면**에서 빠진 내용이 중요치 않다고 여기게 만드는 등 **특정 내용에 대한 학습 동기, 태도를 저하**시킬 수 있다. 따라서 교육과정 설계 시부터 영 교육과정을 반영하여 여러 요인을 고려해야 하는데, 그 내용은 다음과 같다. 첫째, **학습 목표 설정 시** 새롭게 설정하는 목표가 국가 교육과정과 통일성을 가질 수 있도록 **국가 교육과정의 성취 기준을 고려**한다. 둘째, **학습 내용 선정 시** 그동안 누락되었던 내용을 추가하더라도 **학습량이 적정화될 수 있도록 범위와 계열성을 고려**한다.

028 공식적 교육과정의 구분 ●○○○○

교육의 경쟁력 제고를 위해 다양한 형태의 교육과정을 고려할 수 있다. A 교사는 IB교육을 강조하는데, 이와 같은 교육과정을 '세계 교육과정'이라 한다. 세계 교육과정의 장점으로는 국제적으로 보장된 교육 프로그램을 적용하여 교육과정의 질적 수준을 보장하고, 이를 통해 **교육의 국제 경쟁력을 제고**할 수 있다는 점을 들 수 있다. B 교사는 시·도별로 특화된 교육과정을 강조하는데, 이를 '지역 교육과정'이라 한다. 지역 교육과정의 장점으로는 지역 수요를 반영한 교육과정을 개발·운영함으로써 **교육의 민주성을 확보**할 수 있다는 점을 들 수 있다. 그러나 세계·지역 수준의 교육과정을 운영할 때 문제점이 발생할 수 있는데, 먼저 표준화를 바탕으로 한 세계 교육과정에 지나치게 집중하게 되는 경우 **국가별 문화적 특수성, 경제적 상황을 고려하지 않은 획일적 교육이 실시되어 장기적으로 교육경쟁력을 저해**할 수 있다. 또한, 지역별 교육과정 개발을 전제하는 지역 교육과정은 **지역의 교육 역량, 행정 역량에 따라 지역별 교육격차가 심화**되어 국가의 전체적인 교육의 질을 일정 수준으로 유지하는 데 한계를 지닐 수 있다.

029 공식적 교육과정의 구분 ●●○○○

단위 학교에 교육과정 설계·운영상의 자율권을 부여함으로써 교육의 질을 제고할 수 있다. 교육과정 설계·운영에 있어서 단위 학교에 자율권을 부여하는 이유는 다음과 같다. 첫째, **학교별 자원, 학생 수요 등 학교별 상황에 맞는 교육과정 설계를 위함**이다. 둘째, 지식의 급변성에 대비하면서 **융통성 있는 교육과정을 운영하기 위함**이다. 한편, 2022 개정 교육과정에서는 학교 교육과정을 설계할 때 반영해야 할 주요 원칙을 제시하고 있는데, 학교 내에서 이를 실천한 사례는 다음과 같다. 첫째, **중학교에서는 학교 자율시간, 고등학교에서는 고교학점제를 운영**하여 학생의 특성과 학교 여건에 적합한 학습경험을 제공한다. 둘째, **학교 교육과정 위원회를 운영**하여 모든 교원이 민주적인 절차를 거쳐 교육과정을 설계·운영할 수 있도록 한다.

030 공식적 교육과정의 구분 ●●●●○

교육과정의 목적을 달성하기 위해서는 계획한 교육과정, 교수, 학습의 일치가 필요하다. A 교사는 계획한 교육과정과 가르친 내용 간 불일치를 경험하고 있는데, 이러한 불일치가 일어나는 이유는 **사회의 급변성으로 인해 교육과정을 계획할 때 중요했던 지식과 가치가 변화했기 때문**이라고 할 수 있다. 이러한 불일치를 해결하기 위한 방안을 마련할 때 고려해야 할 점은 다음과 같다. 첫째, 시대의 변화에도 불구하고 중요한 내용을 빠짐없이 가르치기 위하여 **계획한 교육과정 내에 있는 교과의 성취 기준을 고려**한다. 둘째, 교사의 의도대로 교수활동이 진행될 수 있도록 **교사의 수업 스킬, 수업 시수 등을 고려**한다. 셋째, 학습자가 실제로 학습할 수 있도록 **학습자의 수준과 동기 등을 고려**한다.

Chapter 02 교육과정 논의의 역사 031 ~ 035

031 교육과정의 역사 ●●●●●

과거로부터 이어져 오는 교육과정 관점을 현대적으로 적용하면서 교육과정의 질을 높일 수 있다. 이때 고전 교과를 강조한 인문주의적 전통과 표준화된 내용을 강조한 사회효율성주의가 갖는 교육적 타당성은 다음과 같다. 첫째, **인문주의적 전통의 관점은** 변화하는 상황 속에서도 도야적 가치가 있는 고전 교과를 강조하면서 **교과 교육을 통한 합리적 이성의 계발을 도모했다는 점**에서 타당성을 가진다. 둘째, **사회효율성주의의 관점은** 목표가 분명한 표준화된 교육과정을 제시하면서 현재에도 **통일적인 학교 교육과정을 운영할 수 있다는 점**에서 타당성을 가진다. 각 관점을 현대 교육과정 개발에 적용할 때는 다음에 유의해야 한다. 첫째, 인문주의적 전통의 관점은 고전 교과만 강조하여 학습자의 인지 발달에만 치중한 교육으로 운영될 수 있으므로 **교육과정 개발 시 학생의 흥미와 관심을 고려**해야 한다. 둘째, 사회효율성주의의 관점은 공급자 중심의 표준화를 강조하다 보면 획일화된 교육으로 운영될 수 있으므로 **교육과정 개발 시 지역과 학교의 특수성을 반영해야** 한다.

032 패러다임의 전환 ●●●○○

목표설정, 학습경험 선정과 조직, 평가라는 일반적 개발 단계를 논의한 교육과정 개발 패러다임은 **어느 상황에도 적용 가능한 보편적인 교육과정 개발모형을 제시했다는 점에서 의의**가 있다. 그러나 공급자 중심의 보편성만을 강조하다 보니 **교육의 주체인 학습자가 교육과정 개발에서 소외되고 현실의 교육 모습을 반영하기에 곤란하다는 한계**를 지닌다. 학습자 중심의 교육, 복잡한 사회문제를 다루는 교육이 중시되는 현재의 교육환경을 고려했을 때 교육과정 이해 패러다임은 다음의 측면에서 중요성을 지닌다. 첫째, **학습자의 측면에서** 파이나의 실존적 재개념주의는 학습자의 다양한 경험을 보장하고 **학습의 참여도를 촉진**한다는 점에서 중요성을 가진다. 둘째, **사회의 측면에서** 애플의 구조적 재개념주의는 교육에 영향을 미치는 **다양한 사회적 요인을 고려**할 수 있다는 점에서 중요성을 지닌다.

033 이해 패러다임 ●●○○○

교육의 민주성을 확보하기 위해 슈왑의 자연주의적 교육과정 개발 모형을 적용할 수 있다. 슈왑은 교육과정을 개발할 때 관련 이해 당사자들의 선택과 합의에 의한 의사결정을 강조한다. **이러한 의사결정 과정의 명칭을 '숙의'**라고 한다. 숙의 시에는 교사 외 다양한 이해 당사자의 의견을 들을 수 있는데, 대표적인 이해 당사자로는 교육과정의 직접적 수혜자인 **학습자**를 들 수 있다. 학습자의 의견을 반영하기 위해 학교에서는 **학기 초 설문조사나 학급 자치회를 개최**하여 교육과정에 대한 논의를 진행할 수 있다. 한편, 숙의의 과정에서 여러 이해 당사자들의 의견이 제시되는데, 이때 교수설계자는 교육과정에 관한 실천적인 문제가 복잡하므로 이해 당사자들의 의견과 이론을 부분적으로 활용하는 **절충자로서의 역할**을 수행하는 것이 바람직하다.

034 이해 패러다임 ●●●○○

파이나의 쿠레레 방법론을 통해 학생들의 주체성을 회복할 수 있다. 쿠레레 방법론은 회귀 – 진보 – 분석 – 종합의 4단계로 학습 활동이 이루어진다. A 교사는 오늘 배우는 내용에 대해 과거의 교육적 경험을 이야기하는 활동을 실시하는데, 이는 쿠레레 방법론 중 **첫 번째 단계인 회귀 단계**에서의 활동에 해당한다. 이때 교사는 학생들이 자유롭게 과거 경험을 이야기할 수 있도록 **샘플을 보여주거나 비판을 최소화하는 역할**을 수행한다. 이후 단계별 구체적 학습활동의 예시는 다음과 같다. 첫째, **진보 단계**에서는 금일 배우는 교육 내용이 **미래에는** 어떻게 변화할 것인지 미래 일기를 작성하게 한다. 둘째, **분석 단계**에서는 금일 배우는 내용과 관련한 **과거 경험, 금일 교육 내용, 자신이 상상한 미래 내용을 연결하면서 구조도를 작성**하게 하여 교육 내용의 변화 방향을 깨닫게 한다. 셋째, **종합 단계**에서는 금일 배운 내용이 자신에게 어떤 의미가 있는지 **자기성찰 기록문을 작성**하게 한다.

035 이해 패러다임 ●●●●○

교육의 질을 높이기 위해 교사의 수동성을 극복할 필요가 있다. 애플은 구조적 재개념주의 이론을 통해 주류 교육과정에 순응하면서 수동적인 존재가 되는 교사를 분석하는데, 이에 따를 때 A 교사가 수동적 존재로 전락한 과정은 다음과 같이 설명할 수 있다. 첫째, A 교사는 에듀넷 티 클리어에 있는 내용을 그대로 가져오면서 **자신의 원래 전문성이 사라지는 탈숙련화**가 나타났다. 둘째, 이후에도 **교육청 자료만을 모으고 관리하는 형태로 재숙련화**가 나타나면서 수동적인 존재로 전락하였다. A 교사와 같이 수동적인 교사가 되지 않기 위한 교사의 실천적 노력은 다음과 같다. 첫째, **교과협의회 등을 통해** 공식적 교육과정을 비판적으로 바라보고 학교 상황 등에 맞추어 적극적으로 **교육과정을 재구성**해본다. 둘째, **자기 장학이나 동료 장학** 등에 적극적으로 참여하면서 변화하는 교육환경에 적기 대응할 수 있는 **전문적 역량을 함양**한다.

Chapter 03 교육과정의 유형 036 ~ 048

036 교과를 중심으로 한 교육과정 ●○○○○

교육목적에 따라 교육의 방향성이 달라진다. 제시문에서는 인간의 이성과 합리성을 계발하기 위해 문화유산의 중요한 내용을 가르칠 것을 강조하는 교과 중심 교육과정을 언급하고 있다. 교과 중심 교육과정은 과거로부터 이어오는 고전 내용을 강조함에 따라 **학생들의 기초 학력, 기초 소양을 함양하는 데 장점이 있다**. 그러나 지나치게 고전 교과에 집중하여 **학생들의 관심과 흥미를 고려하지 못해 학습 동기를 저해한다는 단점**이 있다. 이러한 단점에도 불구하고 여전히 교과 중심 교육과정에 따른 교수학습과 평가가 진행되기도 하는데, 교과 중심 교육과정에 부합하는 교수학습 방법과 교육평가 방법은 다음과 같다. 첫째, **교수학습 방법 측면**에서 문화유산의 중요 내용을 효율적으로 전달하기 위해 주로 **강의식 · 설명식** 수업이 활용된다. 둘째, **평가 방법 측면**에서 해당 내용을 정확히 이해하고 암기했는지 확인하기 위해 **결과 중심의 지필평가**를 실시한다.

037 교과를 중심으로 한 교육과정 ●●●●●

교과의 내용 조직 방식에 변화를 주면서 학생들에게 다양한 교육 경험을 부여할 수 있다. A 교사는 사실과 원리 중심으로 교과를 통합하는 광역형 조직 유형을 언급하고 있는데, 이러한 유형의 목적은 **학생들이 포괄적이고 광범위한 지식을 습득**하게 하는 데 있다. 이와 달리 B 교사는 교과의 기본 체계는 유지하면서도 교과 간 관련 있는 내용을 연결하는 상관형 조직 유형을 언급하고 있는데, 이를 적용한 구체적 사례는 다음과 같다. 첫째, 개별 교과에서 같은 사실을 다루는 **사실의 상관**이다. 예를 들어, **역사 시간에 6·25전쟁을 학습하고 국어 시간에 6·25전쟁 시기를 배경으로 한 최인훈의 〈광장〉을 읽는 활동**을 실시한다. 둘째, 개별 교과에서 같은 원리나 개념을 다루는 **원리의 상관**이다. 예를 들어 **수학 시간에 비율과 비례식을 배우고 미술 시간에 원근법을 활용한 그림 그리기 활동**을 실시한다. 셋째, 개별 교과에서 가치, 태도, 규범을 연계하는 **규범의 상관**이다. 예를 들어, **체육 시간에 팀 스포츠 수업에서 페어플레이, 규칙 준수를 강조하고 도덕 시간에 정정당당한 경쟁, 협동의 가치에 대해 성찰**하게 한다.

038 교과를 중심으로 한 교육과정 ●●●○○

학습자 스스로 지식의 구조를 발견하게 함으로써 학습자의 지력 향상을 도모할 수 있다. 이때 '**지식의 구조**'란 학문을 구성하고 있는 **핵심적인 개념과 원리**로서, 이를 발견했을 때 교육적 효과는 다음과 같다. 첫째, **학습의 경제성이 촉진**된다. 학습자는 지식의 구조를 통해 세부적인 지식을 알 수 있으므로 암기해야 하는 정보가 축소된다. 둘째, **학습의 생성력이 촉진**된다. 학습자는 지식의 구조를 바탕으로 다른 지식을 습득하거나 새로운 지식을 창출하는 데 용이해진다. 지식의 구조 발견을 위해 교사는 지식을 학습자 수준에 맞게 단계별로 표현하는 것이 중요한데, 그 단계는 다음과 같다. 1단계, 활동 등 **구체적 동작**을 통해 지식을 표현한다. 2단계, 그림·그래픽 등 **영상**을 통해 지식을 표현한다. 3단계, 언어와 같은 **추상적·형식적 상징**을 통해 지식을 표현한다.

039 교과를 중심으로 한 교육과정 ●●○○○

학습량 적정화를 위해 나선형의 형태로 교육과정을 조직할 수 있다. A 교사는 나선형의 방식으로 내용을 조직할 것을 강조하는데, 이러한 조직 방식에 적용되는 원칙은 다음과 같다. 첫째, **계속성의 원칙**이다. 핵심적인 개념과 원리에 부합하는 내용의 경우 시간이 지날수록 반복하여 내용을 조직한다. 둘째, **계열성의 원칙**이다. 내용을 단순 반복하지 않고 학습자 수준에 맞게 점진적으로 내용을 심화하여 조직한다. 이러한 방식은 학습자 수준에 따라 심화 내용을 제시함으로써 **학습자의 탐구심·호기심을 자극하는 등 학습 동기에 긍정적 영향**을 미친다는 순기능을 갖는다. 그러나 다소 **어려울 수 있는 내용을 반복함으로써 학생들에게 지루함을 유발하는 등 학습 동기에 부정적 영향**을 미칠 수 있다는 점에서는 역기능을 갖는다.

040 교과를 중심으로 한 교육과정 ●●●○○

좋은 수업을 위해 수업 목표를 명세화할 수 있다. 수업 목표 명세화를 위해 우선 수업 목표를 위계화하는 것이 필요한데, 이때 블룸의 교육목표 분류학을 활용할 수 있다. 이 이론에 따르면 수업 목표 위계화의 기준은 다음과 같다. 첫째, 학습자의 **인지적 영역의 경우** 인지 활동의 **복잡성을 기준**으로 지식, 이해, 적용, 분석, 종합, 평가로 위계화한다. 둘째, 학습자의 **정의적 영역의 경우** 학습 내용의 **내면화를 기준**으로 수용, 반응, 가치화, 조직화, 인격화로 위계화한다. 한편, 수업 목표를 진술할 때는 메이거가 제시한 3가지 요소를 반영할 수 있는데, 이는 수업을 통해 습득하는 능력인 **도착점 행동**, 최종 수행 행동이 직면하게 되는 제약조건인 **상황 및 조건**, 도착점 행동을 달성했는지 평가할 **수락 기준**이다. 이러한 요소가 반영된 수업 목표의 예시로는 영어 시간에 "**학습자는 수업 시간에 제공된 뉴스 기사 내용을 기반으로(상황 및 조건), 자신의 의견을 영어로 100단어 이상 쓰고 문법 오류가 5개 이하(수락 기준)인 글을 작성할 수 있다. (도착점 행동)**"를 제시할 수 있다.

041 학습자를 중심으로 한 교육과정 ●●●●○

교육의 본질에 집중하여 깨어있는 교실을 조성하기 위해 경험중심 교육과정을 고려할 수 있다. 아동의 흥미를 중시한 경험중심 교육과정의 궁극적 목적은 흥미와 관심을 바탕으로 경험적 교육 내용을 구성하고 이를 통해 **아동의 계속적인 성장**을 도모하는 데 있다. 이 교육과정에 근거하여 교육 내용을 선정·조직할 때 고려해야 하는 원칙은 다음과 같다. 첫째, **흥미의 원칙**이다. 학습자의 현재 경험으로부터 교육 내용을 추론하여 학습자가 흥미를 가지고 학습에 참여하도록 한다. 둘째, **심화의 원칙**이다. 학습자가 이미 경험한 것을 바탕으로 교육 내용을 좀 더 충분하고 풍성하게 조직하여 논리적인 교과에 다가가도록 한다. 셋째, **사회성의 원칙**이다. 학교 안과 밖에서 경험하는 실제 삶과 관련한 내용을 교육 내용으로 선정·조직하여 학생의 계속적 성장을 도모한다.

042 학습자를 중심으로 한 교육과정 ●●●○○

학생의 직접적 참여를 바탕으로 교육과정을 조직하면서 교육의 효과를 높일 수 있다. A 교사는 교사와 학생이 상호 협력해서 경험을 구성하는 것을 강조하는데, 이러한 조직 유형을 '생성형 교육과정'이라 한다. 생성형 교육과정 조직 방식의 교육적 기능은 다음과 같다. 첫째, **인지적 측면**에서 교사와 학생의 상호작용을 통해 학습자 혼자 학습하면 성취하기 어렵지만 교사의 조력을 통해서 성취할 수 있는 **근접발달영역(ZPD)을 발달**시킨다. 둘째, **정의적 측면**에서 학습자가 교육과정 조직 시 적극적으로 참여함으로써 주체성을 바탕으로 **학습 동기를 유발**시킨다. 이러한 기능에도 불구하고 몇 가지 운영상 한계점을 드러낼 수 있는데, A 교사가 우려한 문제를 예방하기 위한 방안은 다음과 같다. 첫째, 중요한 내용이 누락되지 않도록 **학생들에게 교육과정상 성취 기준을 충분히 설명**하거나, 교육과정 조직 시 활용할 기본 기준을 제시한다. 둘째, 폭 넓은 학생 참여가 이루어지도록 **전체 학생을 대상으로 교육과정 조직 방식에 대한 매뉴얼을 제공**하거나, 조직 시 수행해야 할 개별 역할을 부여한다.

043 학습자를 중심으로 한 교육과정 ●●●●○

인간중심 교육과정을 통해 학생 참여 중심의 수업을 확대할 수 있다. 학교장은 학습자의 행위주체성과 전인교육을 포함하는 인간중심 교육과정을 강조하고 있는데, 이러한 요소가 반영된 교육활동은 다음과 같다. 첫째, 학생이 행위주체성을 갖고 자신의 내면과 관심을 수업에 투영할 수 있도록 하는 **학생 자율 프로젝트 활동**이 있다. 둘째, 정서적·사회적 성장을 위한 **감정일기 작성, 자기 성찰문 작성 등의 활동**이 있다. 한편, 인간중심 교육과정 운영에 있어서 일부 교사들은 시간표 운영상의 어려움, 평가의 어려움을 지적하고 있는데, 이를 해소하기 위한 교육과정 운영 방안은 다음과 같다. 첫째, 전인적 교육활동이 이루어질 수 있도록 **교과(군)별 및 창의적 체험활동의 20% 범위 내에서 수업시수를 조정**하는 등 유연한 시간 운영을 활성화한다. 둘째, 전인적 성장의 정도를 확인하기 위해 **자기평가, 프로젝트형 평가 등 다양한 평가 방식을 도입**한다.

044 사회를 중심으로 한 교육과정 ●●●●○

실제 생활과 관련한 교육과정을 통해 다양한 역량을 갖는 인재를 육성할 수 있다. A 교사가 언급한 생활 적응 교육과정에서는 언제나 맞닥뜨릴 수 있는 생활 장면이 학습경험이 되어야 한다고 강조하는데, 이러한 학습경험을 '**항상적 생활사태**'라고 한다. 예를 들어, **어떤 주제에 대해 타인과 대화하는 상황**과 같이 언제나 일어날 수 있는 상황이 항상적 생활사태라고 할 수 있다. 한편, 생활 적응 교육과정에서는 구체적인 상황에서 직접 활동하는 학습을 강조하는데, 구체적인 학습활동은 다음과 같다. 첫째, 실생활 도구를 다루는 **현장 체험 학습, 역할극** 등을 통해 **생활에서 필요한 기술을 다루는 역량**을 함양할 수 있다. 둘째, 타인과의 소통을 통해 이루어지는 **하브루타 활동, 토의토론 학습** 등을 통해 **타인과 소통하는 역량**을 함양할 수 있다.

045 사회를 중심으로 한 교육과정 ●●●○○

사회에서 요구하는 인재를 육성하기 위해 새로운 교육과정 유형을 적용할 수 있다. 전문가는 사회문제를 핵심에 두고 관련 교과 지식을 연결하는 중핵 교육과정의 적용을 강조하고 있는데, 이 교육과정과 개별 교과를 강조하는 전통적 교육과정의 차이점은 다음과 같다. 첫째, **내용 선정 측면**에서 전통적 교육과정에서는 과거로부터 이어오는 중요한 지식 중심으로 내용을 선정하나, 중핵 교육과정에서는 **현재 사회에서 중요하게 다루는 주제 중심으로 내용을 선정**한다. 둘째, **내용 조직 측면**에서 전통적 교육과정에서는 교과 간 명확한 구분을 통해 중요한 내용을 반복하는 방식을 활용하나, 중핵 교육과정에서는 **주제를 중심으로 교과 지식을 통합하는 방식**을 활용한다. 한편, 중핵 교육과정을 설계할 때 예상되는 어려움은 다음과 같다. 첫째, **목표 설정 측면**에서 교과별로 강조하는 지식·기능 등이 상이한 경우 **통합 목표를 설정하는 것에 어려움**을 겪을 수 있다. 둘째, **내용 선정·조직 측면**에서 핵심 주제가 복잡한 경우 **교과별 내용을 어느 범위까지 선정하고, 어떤 순서로 조직해야 하는지**에 대해 어려움을 겪을 수 있다.

046 역량을 중심으로 한 교육과정 ●●●○○

개인과 사회의 안녕을 위해서 역량 중심의 교육과정 운영이 필요하다. 역량 중심 교육과정에서 강조하는 역량이란 **개인이 직면한 문제를 해결하기 위해 지식, 기능, 태도 및 가치를 종합적으로 동원하는 능력**을 의미한다. 학교에서는 이러한 역량뿐 아니라 자신에 대한 성찰, 책임을 통한 공유, 자율성을 요소로 하는 행위주체성을 갖춘 인재의 육성을 강조하는데, 학습자의 행위주체성을 함양하기 위한 학습활동은 다음과 같다. 첫째, **자기평가와 학업계획서 작성**을 통해 스스로 **성찰**할 수 있는 기회를 제공한다. 둘째, **프로젝트 활동을 통해 결과물을 창출하고, 발표회를 개최**함으로써 타인과 성과물을 **공유**하도록 한다. 셋째, **자율적 협동학습**을 통해 스스로 주제를 선택하고 모둠활동을 하게 함으로써 **자율성**을 발휘하도록 한다.

047 역량을 중심으로 한 교육과정 ●●●●○

역량의 특성을 반영함으로써 역량 중심 교육과정을 분명하게 설계할 수 있다. A 교사는 역량의 특성으로 수행성·총체성·발달성을 언급하고 있는데, 이를 고려했을 때 역량 중심 교육과정 설계에 반영해야 할 사항은 다음과 같다. 첫째, **학습 내용 측면**에서 지식의 전이를 촉진하는 **실생활 문제**를 교육과정 설계에 반영함으로써 수행성을 발현하도록 한다. 둘째, **학습활동 측면**에서 인지적 영역뿐 아니라 정의적 영역까지 포괄하는 **전인교육의 방법**을 반영함으로써 총체성을 발현하도록 한다. 셋째, **평가 유형 측면**에서 학습자가 스스로 성찰하는 **자기평가 방법**을 반영함으로써 발달성을 발현하도록 한다.

048 역량을 중심으로 한 교육과정 ●●●●○

새로운 지식을 습득하고 활용하기 위해 역량 중심 교육과정을 설계할 수 있다. 역량 중심 교육과정에서 전제하는 지식의 특징은 다음과 같다. 첫째, 교과에만 존재하는 이론적 지식이 아니라 현실에 적용되는 **실제적 지식**이다. 둘째, 교과 간 명확한 구분에 따라 나뉘는 분과형 지식이 아니라 문제나 주제 중심으로 다뤄지는 **통합적 지식**이다. 이러한 지식의 특징을 고려할 때 역량 중심 교육과정의 내용 선정·조직 방안은 다음과 같다. 첫째, 학습자들에게 실제로 도움이 되는 지식을 선정하기 위해 **학생들과 함께 학습 내용을 선정**한다. 둘째, 사회문제를 통합적으로 다룰 수 있도록 **교과 간 협의회를 통해 내용을 통합적으로 조직**한다.

Chapter 04 교육과정의 개발 및 설계 049~068

049 교육과정 개발의 기본적 이해 ●○○○○

교육에서 지역의 역할 강화를 위하여 새로운 교육과정 개발 유형을 적용할 필요가 있다. 보고서와 같이 지역과 단위 학교의 자율성을 강조한 교육과정 개발 유형을 '분권형'이라 한다. **분권형 교육과정의 장점으로는 지역·학교의 특수성을 반영한 특색 있는 교육과정을 개발·운영하여 교육 수요에 적기 대응할 수 있다는 점**을 들 수 있다. 그러나 **단점**으로는 지역·학교의 역량에 따른 교육과정의 차이가 발생하고, **이로 인해 교육격차가 심화**될 수 있다는 점을 들 수 있다. 분권형 교육과정을 현실에 적용하는 방안은 다음과 같다. 첫째, **교육청 차원**에서 시·도별 중점 사항을 반영한 **시·도 교육과정 편성·운영 지침**을 개발한다. 둘째, **단위 학교 차원**에서 단위 학교의 교육적 수요와 지역 내 자원을 반영한 **새로운 교과서를 개발하여 학교 자율시간에 활용**한다.

050 교육과정 개발의 기본적 이해 ●●○○○

교육 목표를 분명히 하면서 교육과정의 질을 높일 수 있다. 교육과정 개발 시 목표 설정이 중요한 이유는 다음과 같다. 첫째, **학습의 방향성을 제시**해주기 때문이다. 수업 전 구체적인 학습 목표를 학습자에게 제공하면서 학습자가 학습에 집중할 수 있게 해주고, 수업의 일관성을 확보한다. 둘째, **평가의 기준을 제공**해주기 때문이다. 수업 후 학생의 목표 도달도를 평가하면서 평가의 기준을 분명하게 해준다. 한편, 단원 내 목표를 설정할 때 교사가 지켜야 할 원칙과 그 이유는 다음과 같다. 첫째, **달성 가능성의 원칙**이다. 아무리 좋은 목표라도 학습자 수준에 부합하지 않으면 **학습자가 교육과정에 흥미를 잃고 학습의 방향성을 잃기 때문**이다. 둘째, **구체성의 원칙**이다. 구체적 행동 용어로 명확하게 진술하지 않으면 **평가자마다 해석 기준이 달라 일관된 평가 결과가 나오지 않기 때문**이다.

051 전통적 교육과정 개발모형 ●○○○○

합리적 교육과정 개발모형을 바탕으로 일정 수준 이상의 교육과정을 개발할 수 있다. 타일러의 교육목표 설정 단계에서 고려해야 할 사항 3가지는 다음과 같다. 첫째, 학습자가 원하는 학습 목표, **학습자가 달성할 수 있는 학습 목표를 설정하기 위해 학습자에 대한 선행 연구결과**를 고려한다. 둘째, 공교육의 특성상 사회에서 필요로 하는 **인재의 육성을 위해 사회의 이념과 가치에 대한 연구결과**를 고려한다. 셋째, **중요한 교과 내용의 누락을 방지하기 위해 교과 전문가의 견해**를 고려한다.

052 전통적 교육과정 개발모형 ●●●●○

학습목표를 달성하기 위해 타일러가 말한 학습경험의 선정과 조직의 원칙을 고려할 수 있다. A 교사는 학습경험 선정의 원칙으로 가능성의 원칙과 일 목표 다 경험의 원칙을 언급하고 있는데, 이 원칙을 적용한 학습경험의 예시는 다음과 같다. 첫째, 가능성의 원칙은 학습자의 수준·능력을 고려하여 학습경험을 선정해야 한다는 것으로, "**중학교 2학년 학생들이 수행 가능한 지역사회 연계 활동**"을 예시로 들 수 있다. 둘째, 일 목표 다 경험의 원칙은 하나의 목표 달성을 위해 다양한 학습경험을 선정해야 한다는 것으로 "**자신의 주장을 표현할 수 있다는 목표 달성을 위한 글쓰기 활동, 발표 활동, 토의토론 활동**"을 선정하는 것을 예시로 들 수 있다. 한편, B 교사는 학습경험 조직의 원칙으로 계열성의 원칙과 통합성의 원칙을 언급하고 있는데, 이 원칙을 적용할 때 유의해야 할 점은 다음과 같다. 첫째, **계열성의 원칙** 적용 시 학습 내용을 지나치게 심화하는 경우 학습 동기를 저해할 수 있으므로, **학습자의 사전 지식과 선행 학습 내용을 고려하여 범위와 깊이를 결정**한다. 둘째, **통합성의 원칙** 적용 시 단순 병렬과 나열은 학습 범위만 늘리고 체계적인 지식 습득을 방해할 수 있으므로, **주제나 문제 중심으로 유사한 학습 요소들을 유기적으로 연결**한다.

053 전통적 교육과정 개발모형의 개선 ●●●○○

교사 교육과정의 질적 제고를 위해 타바의 단원개발모형을 활용할 수 있다. 단원개발모형에서는 첫 번째 절차로서 요구 진단을 실시하는데, 요구 진단은 **가장 바람직한 상태와 현재 상태 간의 격차를 확인**하는 것으로, **집단을 구조화하고 집단별로 설문조사를 하는 방법**을 적용할 수 있다. 요구 진단 이후 목표 설정 등 여러 절차를 거쳐 단원을 구성하고 이를 검증하게 되는데, 이때 활용할 수 있는 기준은 다음과 같다. 첫째, 교수 가능성이다. 예를 들어 **구성한 단원을 가르치기 위한 시간과 자원이 충분한지** 등을 기준으로 단원을 검증한다. 둘째, 내용의 타당성이다. 예를 들어 **단원에 필수적으로 성취해야 할 내용과 능력이 반영되어 있는지** 등을 기준으로 단원을 검증한다.

054 전통적 교육과정 개발모형의 개선 ●●●●○

교사의 자율성을 통한 교육의 질 개선을 위해 타바의 단원개발모형을 적용할 수 있다. 타일러의 합리적 교육과정 개발모형와 다른 타바 모형만의 특징은 다음과 같다. 첫째, 한번 정해진 목표가 고정되는 타일러 모형에 비해 타바 모형에서는 검증 과정, 학습 과정 중에 **목표가 지속적으로 변화할 수 있음을 인정**한다. 둘째, 학습 내용과 경험을 구분하지 않는 타일러 모형에 비해 타바 모형에서는 시험 단원을 구성할 때 **학습 내용과 학습 경험을 구분**한다. 한편, 타바 모형을 적용하면서 여러 개의 단원을 개발하고 이를 구조화할 수 있는데, 이때 고려해야 할 사항은 다음과 같다. 첫째, **횡적 범위의 적절성**이다. 여러 개의 단원에 들어간 내용의 범위를 고려하면서 세부 단원들을 개발하고 구조화한다. 둘째, **종적 계열의 적절성**이다. 학습자의 특성을 반영한 현장 맞춤형 교육을 위해 여러 개의 단원을 제공하는 순서를 고려한다.

055 전통적 교육과정 개발모형의 개선 ●●●●○

학습 내용에 대한 학생들의 이해도를 높이기 위해 역행설계모형을 적용할 수 있다. 역행설계모형에 근거할 때 교육과정 설계 시 해야 할 일은 다음과 같다. 첫째, **목표 설정** 시에는 바람직한 교육 결과를 달성하기 위해 학습 내용 중 **영속적 이해가 가능한 학습 지식과 경험을 선택**한다. 둘째, **평가계획 수립** 시에는 영속적 이해에 대한 학습자의 도달 여부를 평가하기 위해 **채점 기준인 루브릭을 마련**한다. 셋째, **수업계획 수립** 시에는 영속적 이해의 달성을 돕기 위해 학습에 필요한 요소인 **WHERETO 요소를 고려**한다.

056 전통적 교육과정 개발모형의 개선 ●●●●●

학생들의 이해를 촉진하기 위해 이해중심의 교육과정을 설계할 수 있다. 역행설계모형에서는 핵심적인 개념과 원리인 영속적 이해의 학습을 강조하는데, 학습 목표에 반영될 영속적 이해를 도출하는 과정은 다음과 같다. 먼저, **교육과정의 성취기준을 분석**하여 중요한 내용을 추리고, 중요한 내용을 학습하기 위한 **본질적인 질문을 설정**한다. 이후 그 질문에 답을 하면서 **핵심적인 지식과 기능을 선정**하면 영속적 이해가 도출될 수 있다. 한편, 이 모형에서는 이해를 6가지로 분류하는데, 성찰문에서 언급한 이해와 관련한 학습 목표의 예시는 다음과 같다. 첫째, **관점**은 비판적이고 통찰력 있는 견해와 관련한 이해로서 국어과에서 "문학 작품 속 인물의 갈등 상황에 대해 서로 다른 인물의 관점을 비교하고 타당성을 평가할 수 있다."라는 학습 목표를 제시할 수 있다. 둘째, **공감**은 타인의 감정을 수용하는 것과 관련한 이해로서 체육과에서 "장애인 스포츠 체험 활동을 통해 신체적 제약을 가진 사람들의 도전과 노력을 이해하고, 이를 바탕으로 응원 메시지를 작성할 수 있다."라는 학습 목표를 제시할 수 있다. 셋째, **자기지식**은 자신의 사고와 행위를 반성할 수 있는 것과 관련한 이해로서, 과학과에서 "**과학적 사실에 대한 나의 선개념을 점검하고, 새로운 정보를 통해 어떻게 사고가 변화되었는지 성찰하는 글을 작성할 수 있다.**"라는 학습 목표를 제시할 수 있다.

057 전통적 교육과정 개발모형의 개선 ●●●●○

수업의 질을 높이기 위해 역행설계모형에 근거하여 수업 전략을 수립할 수 있다. 역행설계모형에서는 학습경험과 수업 계획 단계에서 WHERETO 요소를 고려할 것을 강조하는데, 이를 고려한 수업 전략은 다음과 같다. 첫째, **도입 단계**에서는 **학습목표를 제시**하면서 단원이 어디로(Where) 향하는지, 왜(Why) 그런지 이해시킨다. 둘째, **전개 단계**에서는 학생들에게 **질문과 같은 형성평가를 제공**하여 학생들이 중요한 개념과 본질적 질문을 탐구(Explore)하도록 유도한다. 셋째, **정리 단계**에서는 **자기평가 기준을 제공**함으로써 학생들이 금일 수업에 대해 자기평가(Self-Evaluate)를 할 수 있는 기회를 부여한다.

058 대안적 교육과정 개발모형 ●●●○○

참여를 통한 교육의 질을 개선하기 위해 워커의 자연주의적 개발모형을 고려할 수 있다. 참여자들의 숙의를 강조한 자연주의적 교육과정 개발모형을 단위학교에 적용할 때 장점으로는 교사들의 참여와 숙의의 과정을 통해 교육과정 개발에서 **단위학교의 민주성을 확보하기 용이**하다는 점을 들 수 있다. 이 모형에 근거한 단위학교의 교육과정 개발 시 운영 전략은 다음과 같다. 첫째, **토대 다지기 전략**이다. 참여자들의 자유로운 의견 표현을 유도하기 위해 교사 간 비판적 태도를 금지하고 여러 교사에게 다양한 의견제출의 기회를 부여한다. 둘째, **숙의 전략**이다. 학교는 중립자의 입장에서 다양한 대안에 대해 여러 측면에서 장단점을 검토하고 대안의 기본 방향을 결정한다. 셋째, **설계 전략**이다. 숙의를 통해서 최선의 대안을 문서화하고 상세한 계획을 수립하는 과정에서도 지속적으로 다양한 의견을 반영하고 검토한다.

059 대안적 교육과정 개발모형 ●●○○○

교육과정 개발 시 다양한 목표를 제시하면서 교육의 다양화를 추구할 수 있다. 전통적 교육과정 개발 모형에서는 사전에 구체적 행동 용어로 제시된 행동 목표를 강조하는데, 이러한 목표의 한계는 다음과 같다. 첫째, **수업은 복잡하고 역동적인 것으로, 수업의 결과로 나타나는 학생 행동의 모든 변화를 사전에 행동 목표로 제시하기 어렵다.** 둘째, 호기심·창의성·독창성 등 **정의적 특성의 경우 구체적 행동 용어로 진술하기 어렵다.** 이에 따라 아이즈너는 대안적인 목표를 제시하는데, 구체적인 예시는 다음과 같다. 첫째, 일정한 조건과 문제상황에서 다양한 방안이 제시될 수 있는 **문제해결목표**이다. 예를 들어, 미술과에서 "감정을 주제로 하여 제한된 색상을 활용해 회화 작품을 창작할 수 있다."와 같은 목표가 이에 해당한다. 둘째, 별도의 조건 없이 활동을 하는 도중에 얻게 되는 목표인 **표출적 성과**이다. 예를 들어, 체육과에서 "자연 속 걷기 명상 활동을 통해 자신이 경험한 감정이나 생각을 자유롭게 표현할 수 있다."와 같은 목표가 이에 해당한다.

060 대안적 교육과정 개발모형 ●○○○○

교육을 더욱 풍성하게 하기 위해 아이즈너의 예술적 교육과정을 적용할 수 있다. A 교사는 교육과정 내용 선정 시 가르칠 만한 가치가 있음에도 고의로 빠져있는 내용들을 고려하자고 언급하는데, 아이즈너의 예술적 교육과정에서는 이것을 '**영 교육과정**'이라 한다. 그리고 영 교육과정을 고려하면서 교육과정을 재구성할 때 교사에게 필요한 능력을 '**교육적 상상력**'이라고 한다. 이러한 능력이 발현된 예시는 첫째, **구체적 행동목표를 문제해결 목표나 표출적 성과 등을 반영하여 수정**한다. 둘째, 기존의 교과별 **교육 내용에서 통합과 연계 등을 다양한 교과를 포괄하는 범교과 내용으로 수정**한다.

061 대안적 교육과정 개발모형 ●○○○○

학생 맞춤형 교육을 위해서 교육내용의 제시방식과 평가 방법을 바꿔야 한다. A 교사는 아이즈너의 예술적 교육과정에 근거하여 다양한 방식으로 교육내용을 표현하고자 한다. 이를 위한 구체적 제시방식은 다음과 같다. 첫째, **동영상·그래픽 등 시각 자료**를 통해 교육내용을 제시한다. 둘째, 언어적인 표현을 하더라도 설명의 방식에서 벗어나 **시적 진술, 은유 등을 활용**하여 교육내용의 다양한 측면을 보여준다. 한편, A 교사는 학습자의 미묘한 변화를 평가하는 것을 강조하는데, 이때 교사에게 요구되는 능력은 다음과 같다. 첫째, **교육적 감식안**이다. 이는 평가 대상인 학습자의 자질 간 미묘한 차이를 감식 또는 인식할 수 있는 감상술에 해당한다. 둘째, **교육비평**이다. 이는 교육적 감식안을 통해 인식한 미묘한 차이를 학생이나 학부모가 이해할 수 있도록 평가 결과를 표현하는 표출술에 해당한다.

062 대안적 교육과정 개발모형 ●●○○○

현장 맞춤형 교육을 위해 교육과정을 재구성할 수 있어야 한다. 학교 현장에서 교사가 재구성할 수 있는 유형은 다음과 같다. 첫째, **교과 내 재구성**이다. 단원의 순서를 변경하거나, 기존 교과서의 내용을 추가·수정하는 것을 의미한다. 둘째, **교과 간 재구성**이다. 타 교과와 연계하거나 통합하는 것이 이에 해당한다. 한편, 목표 및 내용 재구성 과정에서 교육과정의 성취 기준을 재구조화하게 되는데, 이때 유의점은 다음과 같다. 첫째, 국가 교육과정과의 통일성·일관성 확보를 위해 **성취기준을 구체화하거나 명료화하는 것에 한해야 한다**. 둘째, 중요한 학습 내용이 누락되지 않도록 **성취기준의 내용 요소는 임의로 삭제하지 않아야 한다**.

063 대안적 교육과정 개발모형 ●○○○○

학습자 맞춤형 교육을 위해 학교 중심으로 교육과정을 개발할 필요가 있다. 학교 중심의 교육과정 개발 모형인 스킬벡의 SBCD 모형에 따를 때 상황 분석 단계에서 구체적 분석 방법과 내용은 다음과 같다. 첫째, **학생 상담·진단평가 등을 통해 학습자 특성과 같은 내적 요인을 분석**한다. 둘째, **학부모 상담·지역 연계 등을 통해 학부모와 지역사회의 기대 등과 같은 외적 요인을 분석**한다. 상황 분석 이후 목표를 설정하고 프로그램을 구성하는데, 프로그램이 구성된 이후 해석 및 실행 단계에서의 활동은 다음과 같다. 첫째, 재구성한 교육과정을 적용할 때 발생할 수 있는 **문제점을 예측**한다. 둘째, 예상 문제점의 원인을 분석하면서 문제점의 발생을 최소화할 수 있는 **예방 방안이나 해결 방안을 모색**한다.

064 일반적 설계원리 ●●●●●

좋은 수업을 위해 좋은 교수목표를 수립하는 것이 중요하다. 그론룬드는 교수목표를 일반 교수목표와 구체적 교수목표로 구분하는데, 두 목표 유형이 갖는 기능은 다음과 같다. 첫째, **일반 교수목표**는 학생이 수업 후 얻어야 할 전반적 행동 영역의 목표로서 **수업의 전반적인 방향을 설정하는 기능**을 갖는다. 둘째, **구체적 교수목표**는 수업 후 학생이 실제로 보여야 할 구체적인 행동으로서 **수업활동 및 평가도구 개발 시 실질적인 기준을 제시**한다는 기능을 갖는다. 이때 구체적 교수목표에 반영되어야 할 3요소는 관찰 가능한 **행동**, 행동이 수행되는 **조건**, 행동의 성공 여부를 판단할 **기준**이다. 예를 들어 수학 교과에서 "학생은 계산기 없이(조건) 이차방정식 문제를 풀 때, 정확한 해를 5분 이내에(기준) 구할 수 있다.(행동)"라는 목표를 제시할 수 있다.

065 일반적 설계원리 ●●●●○

효과적인 학습을 위해서 단원의 학습 순서, 즉 계열성을 고려해야 한다. 계열성을 확보하는 구체적 방법은 첫째, **단순한 것에서 복잡한 것으로 조직**한다. 학습자의 수준을 고려하여 먼저 이해하기 쉬운 개념과 사례를 제시하고 이후 세부적인 내용을 가르친다. 둘째, **사건의 연대기적 순서로 조직**한다. 다루게 될 교과의 내용이 시간의 흐름과 관련이 있을 때 과거에서 현재로, 또는 반대로 조직하여 학습 내용의 전반적 흐름에 대한 이해를 돕는다. 학습 내용의 계열화를 위해 교사가 고려해야 하는 요소는 첫째, **학습자의 수준**이다. 학습자의 인지적·정의적 측면을 고려하여 학습의 순서를 재조직한다. 둘째, **교과의 특성**이다. 교과 세부 내용의 특징을 고려하여 귀납법·연역법 등으로 내용 조직 순서를 결정할 수 있다.

066 일반적 설계원리 ●●●○○

체계적인 교육을 위해 학습 내용 조직 시 수평적 연계성을 활용할 수 있다. 수평적 연계성은 동일 학년에서 제시되는 유사한 내용 요소를 일관성 있게 연결하는 것으로, 그 의의는 다음과 같다. 첫째, 다양한 교과에서 배운 내용을 서로 연계하므로 **학습자들은 통합적 사고력**을 기를 수 있다. 둘째, 내용 요소를 일관성 있게 연계하면서 체계적 학습이 가능해지므로 **학습자의 이해력을 점진적으로 증진**할 수 있다. 이러한 수평적 연계성을 확보하기 위해 교사가 검토해야 할 사항은 다음과 같다. 첫째, 교과 간 연계되는 내용 요소를 추출하기 위해 **교과별 성취기준을 검토**한다. 둘째, 학습자 수준에 맞게 내용 요소를 체계적으로 연결하기 위해 학습자의 **선수 학습 수준, 동기 수준을 검토**한다.

067 통합 교육과정 ●●○○○

지식 변화에 유연하게 대처하기 위해 통합 교육과정을 적용할 수 있다. A 교장은 학생들 스스로 다양한 주제와 문제를 탐색하고 학습하는 탈학문적 통합을 강조하고 있는데, 학급 내 학생 수가 적은 상황에서 탈학문적 통합은 **학생들이 원하는 주제에 대한 심도 있는 논의가 가능하다는** 점에서 효용성을 갖지만, 학생 수가 적은 경우 **다양한 생각들의 공유가 상대적으로 어려워 본래의 효과를 내지 못할 수 있다는** 한계를 갖는다. 한편, A 교장은 일관성의 원리에 따라 통합 교육과정을 설계할 것을 언급하고 있는데, 일관성의 원리 외에 적용할 수 있는 원리와 그 실행 방안은 다음과 같다. 첫째, 중요한 내용을 중심으로 통합해야 한다는 **중요성의 원리**를 실천하기 위해 통합 교육과정 설계 시 관련 교과들의 **성취 기준을 분석하여 중요 내용 요소를 추출**한다. 둘째, 학습자들의 수준에 부합해야 한다는 **적합성의 원리**를 실천하기 위해 **지필 진단평가나 상담 등을 통해 학습자 수준을 분석**하고 수준에 맞는 통합 주제를 선정한다.

068 통합 교육과정 ●●●○○

질 좋은 수업을 위해 통합 교육과정을 적용할 수 있다. A 교사는 교과 간 통합 교육과정을 운영하는 데 있어 이론적 근거로 드레이크의 모형을 적용하고자 하는데, 이 모형에 근거할 때 통합 교육과정 설계의 기반이 되는 3가지 요소는 학습자가 알아야 하는 개념인 **지식**, 학습자가 할 수 있어야 하는 활동인 **기능**, 학습자가 보여야 하는 태도와 가치인 **행동**이라 할 수 있다. 한편, A 교사가 통합 교육과정 설계 시 고려해야 할 점은 다음과 같다. 첫째, 목표설정 시 교과별 핵심 내용 요소가 반영될 수 있도록 **교과별 성취기준**을 고려한다. 둘째, 내용 선정·조직 시 과도한 학습부담을 유발하지 않도록 **통합이 되는 내용의 폭과 깊이, 즉 범위를 고려**한다. 셋째, 한 학기 통합 교육과정 운영 기간 동안 학습자의 성장 과정을 확인하기 위해 과정중심평가 등 **다양한 평가방법을 고려**한다.

Chapter 05 교육과정의 운영 및 평가 069~072

069 교육과정 운영 ●○○○○

학습자 맞춤형 교육을 위해 교사의 자율적 교육과정 운영이 필요하다. 교육과정 운영에 관한 스나이더의 분류에 따를 때 A 교사의 관점처럼 계획된 국가 교육과정을 학교 현장에서 교사가 조정할 수 있는 관점을 '상호적응 관점'이라 한다. 이러한 관점의 장점은 다음과 같다. 첫째, **학습자 측면**에서 교실 상황, 학생들의 수준 등 실제 상황적 맥락에 따라 교사가 교육과정을 즉각적으로 수정할 수 있어 **학습자 맞춤형 교육의 실현이 용이**하다. 둘째, **교사 측면**에서 교육과정 재구성자로서 교사의 적극적 역할이 부각되어 교육과정 전문가로서 **교사의 사기가 앙양**될 수 있다. 한편, 상호적응의 관점에 따라 교육과정을 운영하는 경우 고려사항은 다음과 같다. 첫째, 능력에 따른 교육을 강조하는 **수월성의 이념**을 실현하기 위해 **학습자의 적성과 수준 등 학습자 특성을 고려**한다. 둘째, 공평한 교육을 강조하는 **형평성의 이념**을 실현하기 위해 **국가 교육과정의 기본 목적과 성취 기준을 고려**한다.

070 교육과정 실행 ●●●●○

새로운 교육과정의 현장 안착을 위해 교육과정에 관한 교사의 관심 수준에 따른 맞춤형 지원이 필요하다. 홀의 CBAM 모형에서는 교사의 관심 수준(0~6단계)에 따라 새 교육과정을 실행하는 정도를 보여준다. A 교사는 새 교육과정의 운영을 위한 정보와 자원 활용에 관심이 있는데, 이러한 관심 수준은 3단계인 **운영 수준**에 해당한다. B 교사는 새로운 교육과정이 학생에게 미치는 영향에 대해서 관심을 갖고 있는데, 이러한 관심 수준은 4단계인 **결과 수준**에 해당한다. 이러한 교사들의 관심 수준에 대응하기 위한 학교 차원의 지원방안은 다음과 같다. 첫째, A 교사에게는 **새 교육과정 운영 우수사례 등을 제공**하여 효율화 방안, 교재 샘플 등을 확인하게 한다. 둘째, B 교사에게는 **새 교육과정 운영에 대한 학생·학부모 만족도 조사를 실시하고 그 결과를 제공**하여 새 교육과정이 학생에게 어떤 영향을 미쳤는지 인식하게 한다.

071 교육과정 평가모형 ●●●●○

교육 프로그램의 질 제고를 위해 적절한 평가모형을 적용할 수 있다. A 교사는 기존에 목표중심 평가모형을 적용했는데, 이 모형의 한계는 다음과 같다. 첫째, 양적으로 측정 가능한 가시적 목표에 집중하므로 동기·흥미 등과 같이 양적으로 측정하기 곤란한 **정의적 영역의 목표에 대해서 고려하기 어렵다**. 둘째, 사전에 정해진 목표의 달성 여부만 평가하므로 프로그램 진행 중 발생한 **부수적 결과에 대해서는 평가하기 곤란하다**. 이에 대한 대안으로 A 교사는 탈목표평가를 적용하고자 하는데, 이 모형에 따라 평가를 할 때 준거는 다음과 같다. 첫째, **내재적 준거**로서 프로그램이 갖는 **타당성·신뢰성 등과 같은 프로그램의 기본적 속성**이다. 둘째, **외재적 준거**로서 프로그램에 대한 **학생의 만족도와 같은 프로그램의 기능적 속성**이다.

072 교육과정 평가모형 ●○○○○

스터플빔은 교육과정에 관한 의사결정자의 의사결정에 유용한 정보를 제공하기 위해 CIPP 모형을 제안하였다. 이 모형에 따를 때, **A 교사**는 새롭게 실시하려는 프로그램의 목표를 분명하게 선정하고자 하는데, 이러한 의사결정을 '**계획 의사결정**'이라 한다. 한편, **B 교사**는 종료된 프로그램의 성과 분석 결과를 새로운 프로그램에 반영하고자 하는데, 이러한 의사결정을 '**순환 의사결정**'이라 한다. 각 교사의 의사결정을 위해 사용할 수 있는 평가방식은 다음과 같다. 첫째, A 교사는 학교 환경과 풍토 같은 전반적 맥락을 평가하는 **상황평가**를 활용할 수 있다. 둘째, B 교사는 프로그램의 성과를 분석하는 **산출평가**를 활용할 수 있다.

Chapter 06 우리나라의 교육과정 073 ~ 080

073 2022 개정 교육과정 ●○○○○

교육과정 운영의 일관성 확보를 위해 국가 교육과정을 참고하여 학습활동을 계획할 수 있다. B 교사는 학습활동을 계획할 때 2022 개정 교육과정의 비전을 확인하라고 권유하는데, 2022 개정 교육과정의 **비전은 포용성과 창의성을 갖춘 주도적인 사람으로의 성장**이다. 이를 달성하기 위해 A 교사는 다음의 교육 방법을 실시할 수 있다. 첫째, **모둠학습을 통해 포용성**을 함양한다. 학생들은 협력과 상호작용을 통해 배려, 소통, 공감 등의 가치를 학습할 수 있다. 둘째, **창의적 문제해결학습을 통해 창의성을 함양**한다. 다양한 교과지식을 융합하여 사전에 정해지지 않은 답을 창출할 수 있도록 문제를 구성하고 이를 해결하게 한다. 셋째, **자기주도학습을 통해 자기주도성을 함양**한다. 학생들이 스스로 학업계획서를 작성하게 하고 체크리스트를 통해 자기평가를 하도록 함으로써 학습에 대한 책임감을 느끼게 한다.

074 2022 개정 교육과정 ●○○○○

2022 개정 교육과정은 여러 교과 학습의 기반이 되는 기초소양으로서 **언어 소양, 수리 소양, 디지털 소양**을 제시한다. 3가지 기초소양의 개념과 이를 쌓을 수 있는 교과 활동은 다음과 같다. 첫째, **언어 소양은 텍스트를 이해하고 상황에 맞게 사용하며 타인과 소통하는 능력**을 의미한다. 이 소양은 교과별로 글을 읽고 자신의 생각을 표현하는 **글짓기 활동**을 통해 쌓을 수 있다. 둘째, **수리 소양은 다양한 상황에서 수리적 정보를 이해하고 활용하여 문제를 해결하는 능력**을 의미한다. 이 소양은 교과별로 관련 수를 어림 계산하고, 수치적 자료를 분석하는 활동을 통해 함양할 수 있다. 셋째, **디지털 소양은 디지털 교육환경에서 적절하게 정보를 검색하고 새로운 정보와 지식을 생산·활용하는 능력**을 의미한다. 이 소양은 교과별로 **인터넷을 활용한 검색, 데이터 수집과 검증** 등을 통해 기를 수 있다.

075 2022 개정 교육과정 ●○○○○

학습자를 사회에서 필요로 하는 인재로 육성하기 위해 역량 함양 교육이 필요하다. **A 교사**는 자신의 진로와 삶을 스스로 개척하는 사람을 키우는 것을 강조하는데, 이와 관련한 핵심역량을 '**자기관리 역량**'이라 한다. 이러한 역량을 함양하기 위해 **자기성장계획서 작성, 자기평가 실시 등 자기주도적 학습 활동**을 실시할 수 있다. 또한 **B 교사**는 인류 공동체 발전에 적극적이고 책임감 있는 자세를 기를 것을 강조하는데, 이와 관련한 핵심역량을 '**공동체 역량**'이라 한다. 이러한 역량을 함양하기 위해 **생태전환 교육, 세계시민교육** 등을 실시할 수 있다.

076 2022 개정 교육과정 ●●●○○

2022 개정 교육과정에서는 초·중학교에서 새롭게 학교 자율시간을 운영할 수 있도록 근거를 마련하였다. 학교 자율시간 운영의 교육적 효과는 다음과 같다. 첫째, 학교 상황에 맞는 교육을 통해 학생 수요 등 학교별로 다른 **교육적 수요에 신속하고 융통적으로 대응**할 수 있다. 둘째, 새로운 교과를 편성할 수 있도록 하여 **학습 내용을 다양화하고 학생의 흥미를 유발**할 수 있다. 이러한 학교 자율시간의 구체적 운영 예시는 다음과 같다. 첫째, 매주 수요일 5교시 등 **고정된 시간에 지역의 특수성을 반영한 새로운 교과목을 편성·운영**한다. 둘째, 12월 기말고사 종료 후 고등학교 적응 프로그램을 실시하는 등 **특정 기간에 집중적으로 학생 중심의 활동을 편성·운영**한다.

077 2022 개정 교육과정 ●●●○○

2022 개정 교육과정에서는 교과교육의 지향점을 바탕으로 학습량을 적정화하도록 한다. 학습량 적정화는 성취기준을 중심으로 학습 내용의 폭과 깊이를 적정화하는 것으로, 학습량 적정화가 필요한 이유는 다음과 같다. 첫째, 성취기준에 부합하는 핵심 내용 중심으로 내용을 추림에 따라 **학습자들의 인지 과부화를 줄이고, 핵심 내용에 대한 파지를 원활**하게 한다. 둘째, 학습 범위가 이전보다 감소함에 따라 **학습자들의 학습부담과 학업 스트레스가 감소하고 학습에 대한 의욕**이 높아질 수 있다. 한편, 2022 개정 교육과정은 학습량 적정화를 위해 교과교육의 지향점을 제시하는데, 이를 고려한 교육과정 설계 방안은 다음과 같다. 첫째, **동 교과협의회를 통해 핵심 아이디어를 추려내고 이를 바탕으로 깊이 있는 학습 내용**을 엄선한다. 둘째, **교과 간 협의회, 전문적 학습 공동체를 통해 교과 간 연계 노하우 등을 공유함으로써 교과 간 학습 내용의 중복을 최소화**한다.

078 2022 개정 교육과정 ●●●●○

고교학점제의 성공적 운영을 위해서 중점사항 3가지를 실현해야 한다. 이를 실현하는 구체적인 방안은 다음과 같다. 첫째, **학생 수요를 반영**한다. **학기 시작 전 온·오프라인을 통해 학생들의 수요를 조사하고 단위학교에서 가능한 선택과목을 충분히 개설**한다. 둘째, **진로학업설계 지도를 강화**한다. 진로집중 학기제를 통해 학생들이 자신의 진로 정체성을 찾을 수 있도록 지원하고, 진로교사를 중심으로 여러 교사가 참여하는 **교육과정 이수지도팀**을 통해 학생이 자신의 진로를 위한 명확한 학습계획을 수립할 수 있도록 지원한다. 셋째, **최소 학업성취 수준을 보장**한다. 학기 중 상시 형성평가를 통해 학생들의 성취 수준을 확인하고 **보충학습**을 지원하며, 성취평가 결과 미이수가 나온 과목에 대해서도 보충이수를 할 수 있도록 지원한다.

079 2022 개정 교육과정 ●●○○○

2025년 전면 시행을 앞둔 고교학점제는 그 의의에도 불구하고 학생과 교사 측면에서 여러 문제점이 발생할 수 있다. 첫째, **학생 측면에서는** 학교별 교사 수급 상황에 따라 학생들의 **충분한 과목 선택권을 보장하기 곤란**할 수 있다. 둘째, **교사 측면에서는 교사 한 명이 여러 과목을 개설하고, 진로학업설계 지도도 담당하게 되는 등 업무부담이 강화**될 수 있다. 이러한 문제점을 해결하기 위한 방안은 다음과 같다. 첫째, **인근 학교 간 연계, 온라인 공동교육과정 운영**을 통해 학생의 과목 선택권을 최대한 보장한다. 둘째, **행정업무 전담팀을 배치하거나, 다수 교과과목 개설 교사에게 업무 선택권 등을 부여**함으로써 교원의 업무 부담을 경감한다.

080 2022 개정 교육과정 ●○○○○

교·수·평·기 일체화를 통해서 학생의 전인적 성장을 지원할 수 있다. 성찰일지에서는 교·수·평·기 일체화의 실질적 의미에 대해 학생을 교육의 중심에 두는 것이라고 언급하고 있는데, 이를 위해 교사가 주안점을 두어야 할 내용은 다음과 같다. 첫째, **교육과정 측면**에서 학생에게 적합한 교육과정을 개발하기 위해 **학습자 특성을 고려하여 교육과정을 재구성**해야 한다. 둘째, **수업 측면**에서 학생이 주체적으로 수업에 참여할 수 있도록 **학습자 참여중심의 수업 활동을 계획·운영**해야 한다. 셋째, **평가 측면**에서 학생의 지속적인 성장을 유도할 수 있도록 **과정중심 평가를 실시**해야 한다. 넷째, **기록 측면**에서 학생 세부 역량의 발전 정도를 확인하기 위해 수치적 결과 중심의 기록에서 벗어나 **스토리텔링 기반의 기록**에 주안점을 두어야 한다.

MEMO

최원휘 SELF 교육학
미라클모닝 300제
모범답안 해설

III

교육방법

Chapter 01 교수학습 및 교육공학의 이해 081~086

081 교수학습의 기초 ●○○○○

학습의 특성을 반영하여 교수·학습 활동의 구체적 방향을 수립할 수 있다. 지문에서 정의된 학습의 정의를 통해서 찾아볼 수 있는 학습의 특성은 첫째, 연습이나 경험을 통한 학습이라는 **반복성**, 둘째, 인지·정의·운동 기능적 영역에서의 행동상 변화라는 **변동성**, 셋째, 장기간 지속되는 변화라는 **영속성**이다. 이러한 특성을 반영한 교수·학습 활동은 다음과 같다. 첫째, **학습지 풀이 활동을 통해 중요한 학습 내용을 반복적으로 연습**하게 한다. 둘째, 실제로 활동하는 **협동학습을 통해 인지·정의·운동 기능적 영역에서 행동상의 변화**를 추구한다. 셋째, 중장기에 걸쳐 문제를 해결하는 **프로젝트 학습을 통해 행동의 변화가 중장기에 걸쳐 일어나도록** 한다.

082 교수학습의 기초 ●●○○○

교수학습의 질 개선을 위해 체계적인 교수설계와 교수평가가 중요하다. 라이겔루스는 교수설계의 3대 변인으로 조건변인, 방법변인, 결과변인을 제시한다. 조건변인은 교사가 통제 불가능한 제약조건에 해당하는데, AI 디지털교과서를 활용한 수업에서 고려해야 할 조건변인의 예시는 다음과 같다. 첫째, **학생의 디지털 기기 사용 능력과 같은 학습자 특성**이다. 둘째, 교내 AI 디지털교과서를 활용할 수 있는 **기기 보급 현황, 네트워크 구축 현황과 같은 환경적 요인**이다. 한편, A 교사가 교수학습 결과를 평가할 때 사용할 수 있는 기준은 다음과 같다. 첫째, **교수학습 목표가 어느 정도 달성되었는지, 즉 효과성 여부를 기준으로** 한다. 둘째, **학생들에게 얼마나 흥미를 유발했고 적극적 참여를 유도했는지, 즉 매력성 여부를 기준으로** 한다.

083 교수학습의 기초 ●●●○○

목표를 분명하게 설정함으로써 수업의 질을 높일 수 있다. A 연구사는 구체적인 목표 설정을 강조하는데, 구체적으로 목표를 설정했을 때 장점은 다음과 같다. 첫째, **교사 측면**에서 목표가 구체적일수록 교사가 준비하는 **수업의 방향이 분명해지고 평가 시 기준도 분명하게 설정**할 수 있다. 둘째, **학습자 측면**에서 수업을 통한 학생의 변화가 명확하게 드러남에 따라 **학생들의 학습 동기가 유발**될 수 있다. 구체적인 학습 목표라는 관점에서 수업 과정안에 제시된 학습 목표의 문제점은 다음과 같다. 첫째, "영상 자료를 보여주고 토론하게 한다."라는 **목표는 교사의 활동**이므로 **학생들이 자신의 행동 변화를 분명하게 이해하는 데 한계**를 갖는다. 둘째, "수직과 수평을 구분하여 도형을 그리고 특징을 설명하게 한다."라는 목표는 **하나의 목표 안에 두 가지 이상의 내용과 행동**이 들어가 있어 **평가 방법과 기준을 마련하는 데 어려움**을 줄 수 있다.

084 교수학습의 기초 ●○○○○

학습자 맞춤형 교육을 위해 학습자의 특성을 전인적 측면에서 종합적으로 고려해야 한다. 이를 위한 구체적인 내용과 방법은 다음과 같다. 첫째, **인지적 측면**에서 **진단평가**를 통해 학습자의 **선수학습 수준을** 평가한다. 둘째, **정의적 측면**에서 **관찰과 면담**을 통해 **학습자의 동기나 태도** 등을 평가한다. 한편, 학습자 특성을 분석한 결과를 활용하는 방안은 다음과 같다. 첫째, 진단평가 결과의 경우 **수업의 수준을 결정하거나 모둠을 이질적으로 구성할 때 활용**한다. 둘째, 관찰과 면담을 통한 결과의 경우 **학생들이 적극적으로 참여할 만한 주제·방법을 결정할 때 활용**한다.

085 교수학습의 기초 ●●○○○

수업의 연속성을 확보하면서 학생들의 계속적인 발달을 도모할 수 있다. 수업의 연속성 확보를 위해 A 교사는 수업 전 주제별 계열화와 나선형 계열화 방법을 통해 학습 내용을 조직하고자 한다. 이때 각각의 계열화 방법이 갖는 장점은 다음과 같다. 첫째, 주제별로 학습 순서를 조직하는 **주제별 계열화 방법의 경우 하나의 주제에 대해 깊이 있는 학습을 가능**하게 한다. 둘째, 학습 내용을 단순한 것에서 점진적으로 심화시키는 **나선형 계열화 방법의 경우 중요한 개념을 반복하면서 파지를 용이하게 하고 심화 내용을 점진적으로 이해하는 데 도움**을 준다. 한편, A 교사는 수업 중 수업의 연속성을 확보하고자 하는데, 이를 위한 구체적 교수활동은 다음과 같다. 첫째, **수업 시작 시에는 이전 시간에 배웠던 내용을 요약해서 설명**하고 금일 수업과 관련한 핵심 개념을 다시 한번 강조한다. 둘째, **수업 마지막에는 다음 시간에 배울 내용을 간단하게 설명하면서 해당 내용이 금일 배운 것과 어느 부분에서 연속성이나 차이점을 갖는지 간략히 설명**한다.

086 교육공학의 기초 ●●●●○

교육공학은 학습을 위한 과정과 자원을 설계, 개발, 활용, 관리, 평가하는 이론이자 실제를 의미한다. 에듀테크를 활용한 교수설계 시 교육공학 영역별 교사의 실행전략은 다음과 같다. 첫째, **설계영역**에서 **에듀테크를 활용하는 교수체제를 계획**한다. 이때, 에듀테크 활용 역량이 높은 교사의 학내 지도를 요청하면서 교수설계와 메시지 디자인에 대한 정보를 얻을 수 있다. 둘째, **개발영역**에서 교과별·학습자별 특성에 맞는 **에듀테크 활용 콘텐츠를 개발하고 온라인 클래스 등에 탑재**한다. 셋째, **활용영역**에서 에듀테크와 관련한 다양한 수업자료를 **실제 교육 현장에 활용**한다. 넷째, **관리영역**에서 수업과 관련한 **정보를 학습관리시스템(LMS)에 저장하고 관리**하면서 향후 수업의 질 개선을 추구한다. 이처럼 교육공학의 영역별로 실행전략을 세우면서 테크놀로지를 통한 교육의 질 제고를 도모할 수 있다.

Chapter 02 교수학습이론 087 ~ 108

087 교수학습 패러다임 변화 ●○○○○

지식에 대한 접근성이 높아지면서 새로운 교육 패러다임이 부각되고 있다. 과거에는 전통적 패러다임과 경험과학적 패러다임에 따른 교육이 실시되었는데, 상호작용을 강조하는 경험과학적 패러다임에 적합한 교육방법은 다음과 같다. 첫째, **교사와 학생 간의 상호작용을 유도하는 질문수업 방법**이 있다. 둘째, **학생과 학생 간의 상호작용을 유도하는 협동학습 방법**이 있다. 한편, 새로운 공학적 패러다임은 지식 베이스에 학생이 자유롭게 접근하고 소통을 통해 새로운 지식을 창출한다는 특징을 지닌다. 이러한 특징에 비추어볼 때 새로운 패러다임하에서 교사와 학생의 역할 변화 양태는 다음과 같다. 첫째, **교사는 지식을 독점했던 일차적 정보원에서 학생의 정보수집과 활용을 도와주는 코치로 변모**한다. 둘째, 학생은 언제나 지식을 습득하던 학습자에서 벗어나 필요한 경우 스스로 전문가가 되거나 지식정보의 **창출자, 제공자로 변화**한다.

088 주요 교수학습이론 ●●○○○

완전학습을 위해 스키너의 프로그램 교수법을 적용할 수 있다. 제시문의 AI 진단검사 프로그램에서 확인할 수 있는 스키너의 학습원리는 다음과 같다. 첫째, **스몰스텝의 원리**이다. 이는 하나의 학습 과정을 학습자의 수준별로 쉬운 것에서부터 점차 어려운 것으로 제시하는 원리이다. 둘째, **즉시 확인의 원리**이다. 이는 응답 수준을 AI가 확인하고 즉각적으로 다른 수준의 문제를 제공하는 원리이다. 이러한 프로그램이 가지는 교육적 효과는 다음과 같다. 첫째, 학습과정을 점진적으로 설계함으로써 **어떤 수준의 학생이더라도 학습목표를 달성하게 되는 완전학습을 추구**할 수 있다. 둘째, 학습자의 응답에 대해 **즉각적으로 피드백을 해주면서 학습자의 응답을 검증하고 학습자의 학습 흥미를 유발**할 수 있다.

089 주요 교수학습이론 ●●●○○

캐롤의 학교학습모형을 근거로 학습 정도가 낮은 이유를 분석하고 해결 방안을 모색할 수 있다. 이 모형에 따르면 A의 학습 정도가 낮은 이유는 다음과 같다. 첫째, **운동부 활동에 참여하느라 학습을 하는 데 허용된 시간인 학습기회가 부족**했다. 둘째, **꿈이 좌절되었다는 생각으로 인해 학습을 하려는 태도·의욕인 학습 지속력**이 낮다. 이런 상황에서 A의 학습 정도를 높이기 위한 구체적 방안은 다음과 같다. 첫째, **교사의 충분한 설명, 충분한 과제 수행시간을 부여**하면서 A의 학습기회를 높인다. 둘째, **일상생활과 관련된 지식을 제시하거나 그래픽 등을 활용한 지식 전달을 통해 동기를 유발**하고 A의 학습 지속력을 높인다.

090 주요 교수학습이론 ●●●●○

완전학습을 통해 공교육이 추구하는 목적을 달성할 수 있다. 완전학습을 위해 교사가 실시하는 수업의 질을 판단하는 것이 중요한데, 이때 확인하는 요소는 다음과 같다. 첫째, 학습과정에서 교사가 제공하는 정보, 즉 **단서**가 적정한지 확인한다. 둘째, 학습과정에서 교사가 제공하는 보상, 즉 **강화**가 적정한지 확인한다. 한편, B 교사는 완전학습을 위해 수업 중 수업 보조활동과 2차 학습의 기회를 제공할 것을 강조하고 있다. 이를 실천하는 구체적 수업 활동은 다음과 같다. 첫째, **수업 보조 활동**으로서 수업에서 습득한 개념과 원칙 등을 적용하는 **연습문제를 제공**한다. 둘째, 2차 학습의 기회로서 형성평가 이후 **부진 학생을 대상으로 소집단 지도**를 하거나 **전체 학급 대상 총정리**를 실시한다.

091 주요 교수학습이론 ●●●○○

오수벨은 새로운 학습 내용과 기존 인지구조를 관련짓기 위해서 유의미학습 이론을 제시하였다. 이때 새로운 학습 내용인 동물의 사육제를 본격적으로 제시하기 전에 밑줄 친 (가)와 같이 기존에 알고 있는 지식을 자극하는 것을 '**선행조직자**'라고 한다. 선행조직자의 교육적 기능은 다음과 같다. 첫째, 인지적 측면에서 기존 관련 정착지식과 새로운 학습내용을 연결하면서 학습내용에 대한 이해도를 높이고 **지식의 파지를 돕는 기능**이다. 둘째, 정의적 측면에서 학생의 주의 집중을 유도하여 학습하고자 하는 동기, 즉 **학습 태세를 자극하는 기능**이다.

092 주요 교수학습이론 ●●●●●

학교 수업의 기본 목적을 달성하기 위해 오수벨의 유의미 학습이론을 적용할 수 있다. 이 이론에 따를 때 유의미한 학습이 일어나기 위한 조건은 다음과 같다. 첫째, **학습과제**는 어떻게 표현하더라도 의미와 본성이 변하지 않는 **실사성**과 학습과제와 인지구조가 연결된 이후 그 관계가 임의적으로 변경될 수 없는 **구속성**을 지녀야 한다. 둘째, **학습자**는 새로운 개념과 연결할 수 있는 관련 정착지식과 학습과제를 인지구조에 연결하려는 태도인 **학습 태세**를 지녀야 한다. 한편, A 교사는 수업 중 하위적 포섭이 나타나도록 교수활동을 계획하는데, 크게 파생적 포섭과 상관적 포섭으로 구분되는 하위적 포섭을 촉진하는 교수활동 방안은 다음과 같다. 첫째, **학생이 가진 일반적 지식의 구체적 사례를 제시함으로써 파생적 포섭을** 촉진한다. 둘째, 학습지나 퀴즈를 통해 학생이 가진 일반적 지식의 구체적 예시를 학습자가 진술하게 하고, **교사가 그 예시를 수정·보완해주는 피드백**을 통해 **상관적 포섭**을 촉진한다.

093 주요 교수학습이론 ●●○○○

발견학습을 통해 미래사회에 필요한 역량을 개발할 수 있다. 발견학습에서는 수업의 요소 중 하나로 탐구하고자 하는 의욕인 학습자의 선행경향성을 강조하는데, 선행경향성을 자극하기 위한 방안은 다음과 같다. 첫째, **모호성을 지닌 과제를 제시하여 탐구 의욕을 자극**한다. 둘째, **발견학습의 목표와 학습활동을 안내하여 탐구의 방향성을 제시**한다. 효과적인 발견학습을 위한 구체적 교수·학습 활동은 다음과 같다. 첫째, **가르치고자 하는 개념의 예시와 그렇지 않은 예시를 제공**하면서 개념 간의 차이점을 학생 스스로 발견할 수 있도록 돕는다. 둘째, **개념도·마인드맵을 작성하는 과제를 부여**하여 개념 간의 관계, 관계 속에 반영된 원리 등을 이해하도록 돕는다.

094 주요 교수학습이론 ●●●○○

다양한 수업이론에 근거한 수업을 통해 교육의 질을 높일 수 있다. 지문에서 제시한 발견학습이론과 유의미학습이론은 교육목표와 교육내용 측면에서 다음의 차이점을 가진다. 첫째, **교육목표 측면에서 유의미학습이론은 지식의 파지를 강조하지만, 발견학습이론은 발견한 지식의 전이를 목표로 한다.** 둘째, **교육내용 측면에서 유의미학습이론은 구속성과 실사성이 높은 학습과제를 강조하지만, 발견학습이론은 지식의 구조를 발견하도록 돕는 구체적 예시를 강조**한다. 새로운 교육환경에서 다양한 교수학습이론을 활용할 수 있는데, 그 구체적 방안은 다음과 같다. 첫째, 유의미학습이론에 근거할 때 교사가 온라인 강의 플랫폼을 통해 설명함으로써 학생들이 가진 기존의 지식과 새로운 지식을 연결하도록 한다. 둘째, **발견학습이론에 근거할 때** 메타버스 교실에 다양한 예시자료를 설정해 놓고 **학생들은 가상 공간 내에서 예시를 바탕으로 한 탐구활동**을 전개해 나가면서 새로운 지식을 발견하도록 한다.

095 주요 교수학습이론 ●○○○○

동기를 고려한 교수설계를 통해 학생들의 수업 참여를 제고할 수 있다. 학습 동기 유발을 위해서 주의집중, 관련성, 자신감, 만족감을 고려해야 한다고 보는 ARCS 이론에 근거할 때 A 학교 학생들의 학습 동기가 낮은 이유는 다음과 같다. 첫째, **학습에 성공한 경험이 극히 드물어 자신감이 낮은 상태**이기 때문이다. 둘째, **학습 내용이 자신의 진로에 중요치 않다고 보아 관련성이 낮은 상태**이기 때문이다. 이 같은 상황에서 A 학교 학생들의 학습 동기를 높이기 위한 방안은 다음과 같다. 첫째, **학습자 수준에 맞는 문제를 제시하여 학생들이 성공 경험**을 갖게 함으로써 자신감을 높여준다. 둘째, **수업 시간에 실생활과 관련한 주제를 다룸으로써 학습 내용이 실생활과 높은 관련성**이 있음을 보여준다.

096 구성주의 교수·학습이론 ●○○○○

구성주의적 접근을 통해 교수학습의 질을 제고할 수 있다. 구성주의 이론에서 전제하는 기본적인 가정은 다음과 같다. 첫째, 학습 내용 측면에서 절대적인 지식보다는 맥락과 상황에 따라 변하는 **실제적 문제의 학습을 가정**한다. 둘째, 학습자의 역할 측면에서 **스스로 학습 내용을 구성해가는 능동적 역할을 가정**한다. 구성주의는 크게 인지적 작용을 통해 지식을 재구성하는 인지적 구성주의와 사회적 상호작용을 통해 지식을 재구성하는 사회적 구성주의로 구별되는데, 각 관점에 따른 교사의 역할은 다음과 같다. 첫째, **인지적 구성주의 관점**에 따를 때 교사는 학습자가 실제적 문제를 풀도록 하고 그 과정에서 **피드백을 제시**함으로써 인지적 불평형을 유발한다. 둘째, **사회적 구성주의 관점**에 따를 때 교사는 학생 간 상호작용을 통해 근접발달영역을 발달시킬 수 있도록 **상호작용 과정을 안내하거나 모둠학습 과제를 구성**한다.

097 구성주의 교수·학습이론 ●●●●○

구성주의 학습환경 설계를 통해 학습자 중심의 교육환경을 조성할 수 있다. 학습자의 주체적 문제해결 과정을 설계하는 구성주의 학습환경 설계 모형에 근거할 때 학습자의 학습활동은 다음과 같다. 첫째, 학습자는 문제해결을 위한 **관련 사례와 각종 정보 자원을 온라인 검색 등을 통해 탐색**한다. 둘째, 학습자는 **인지적 도구 등을 활용하면서 자신이 인지하고 있는 것을 명료화**한다. 셋째, 학습자는 지속적으로 **자기평가를 하면서 자신의 학습 과정을 반추**한다. 이러한 학습활동 과정 중에서 학습자는 그의 인지적 사고를 확장하는 인지적 도구를 사용하게 되는데, 구체적인 예시로는 **문제해결에 필요한 이론과 개념이 반영된 마인드맵 또는 개념도**를 들 수 있다.

098 구성주의 교수·학습이론 ●○○○○

문제중심학습을 통해 학습 부담을 줄여나갈 수 있다. 실제적인 문제에 대한 자기주도적 해결을 강조하는 문제중심학습에서 설정하는 문제의 특성은 다음과 같다. 첫째, **복잡성**이다. 문제가 복잡하여 활발한 토의를 통해 다양한 해결책이 도출될 수 있어야 한다. 둘째, **비구조화성**이다. 문제가 분명하게 정의되지 않아 학습자마다 다르게 해석될 수 있어야 한다. 이러한 문제를 해결하는 과정에서 교사의 구체적 역할은 다음과 같다. 첫째, 문제해결 과정을 어려워하는 학생들을 위해 **사례나 시범을 보여주는 모델링**의 역할을 수행한다. 둘째, 비판적 사고를 경험할 수 있도록 문제해결에 관한 **질문을 하고 피드백을 해주는 코치의 역할**을 수행한다.

099 구성주의 교수·학습이론 ●●●○○

프로젝트 학습을 통해 학생의 행위주체성을 함양할 수 있다. 행위주체성은 성찰, 책임을 통한 공유, 자율성을 기반으로 하는데, 학습자 스스로 목적과 계획을 수립하고 결과물을 창출하며 전반적 과정에 대해 자기평가를 진행하는 프로젝트 학습이 행위주체성 함양에 도움이 되는 이유는 다음과 같다. 첫째, **프로젝트 활동에 대해 자기평가하는 과정에서 성찰이 촉진**되기 때문이다. 둘째, **프로젝트를 이행하는 과정에서 협동하거나 결과물을 공유**하기 때문이다. 셋째, **스스로 프로젝트 주제를 선정하고 이행 방법을 결정하는 등의 과정에서 자율성이 발휘**되기 때문이다. 한편, 프로젝트 학습을 진행하면서 기초학습 능력이 부족한 학생들의 학습 소외가 우려될 수 있다. 이러한 문제를 해결하기 위해 교사는 프로젝트 학습에 활용할 수 있는 **학습 내용을 담은 요약 자료를 사전에 배포**하거나, 해당 내용과 관련한 강의를 프로젝트 학습 활동 이전에 **온라인을 통해 먼저 제시하는 거꾸로 수업**을 활용할 수 있다.

100 구성주의 교수·학습이론 ●●●●○

실생활에서의 지식 활용을 촉진하기 위해 맥락정착적 교수이론을 활용할 수 있다. 이는 학습자의 문제 해결을 위해 맥락중심의 이야기를 제시하는데, 그 특성은 다음과 같다. 첫째, 학교 주변에서 발생한 교통 혼잡 문제처럼 **실생활과의 관련성**이라는 특성을 지닌다. 둘째, 학생들이 스스로 교통 혼잡 문제의 해결방안을 마련할 수 있어야 하므로 **학습자 수준과의 부합성**이라는 특성을 지닌다. 한편, 교사가 맥락정착적 교수이론에 근거하여 수업을 실행할 때 겪을 수 있는 어려움은 다음과 같다. 첫째, 영상을 통해 앵커를 제시하고 이를 토의·토론하는 과정이 길어지면 **수업 시간 내에 당초 계획대로 수업을 진행하지 못할 수 있다**. 둘째, 팀 학습으로 문제를 해결하는 과정에서 적절한 피드백이 없으면 **무임승차 효과와 같은 학습이탈 현상**이 나타날 수 있다.

101 구성주의 교수·학습이론 ●●●●●

학생들의 인지적 경험을 확대하기 위해 다양한 교육자원을 활용할 수 있다. 두 교사는 교과서 외 다양한 교육자원을 활용하려고 하는데, 이때 각 교사가 실시할 수 있는 구체적 수업 사례는 다음과 같다. 첫째, **인터넷 정보 자원 활용**과 관련하여 A 교사는 전 세계적 인구 절벽 현상에 대한 수업을 진행하면서 **UN과 통계청 웹사이트를 활용한 보고서 작성 수업을 진행**한다. 둘째, **지역 내 인적 자원 활용**과 관련하여 B 교사는 지역 내 문제 해결을 위한 주민의 협동적 노력을 다루는 수업을 진행하면서 **지역 공무원, 주민 자치회 위원과의 인터뷰 수업**을 진행한다. 이러한 자원기반학습을 위한 교사의 유의점은 다음과 같다. 첫째, 인터넷 정보 자원이 부정확하거나 비윤리적일 수 있으므로 **학생들에게 바람직한 정보 검색원을 제공**한다. 둘째, 지역 내 부도덕한 인사가 있을 수 있으므로 **지역 내 인사에 대한 사전 조사를** 실시한다.

102 구성주의 교수·학습이론 ●●●●●

자원기반학습을 통해 미래교육 대전환 시대에 필요한 역량을 함양할 수 있다. 다양한 정보자원을 활용하는 자원기반학습을 통해 길러지는 정보 리터러시 역량은 다음과 같다. 첫째, 문제해결을 위해 다양한 정보를 검색함으로써 **정보의 접근 역량**이 길러진다. 둘째, 많은 양의 정보 중 자신에게 필요한 정보를 걸러내는 과정에서 **정보의 평가 역량**이 길러진다. 한편, A 교사는 자원을 정확하게 읽고, 보고, 가려내는 활동을 강조하는데, 빅6모형에 따를 때 이와 관련한 인지능력은 분석에 해당하고, 이를 발휘할 수 있는 단계는 **정보활용 단계**라고 할 수 있다. 정보활용 단계에서는 정보의 진위 여부를 가려내는 활동을 수행하는데, **구체적으로는 가짜 뉴스와 진짜 뉴스를 비교하면서 팩트체크의 기준과 방법 등을 학습**하게 할 수 있다.

103 구성주의 교수·학습이론 ●●○○○

인지적 유연성 이론의 적용을 통해 균형적인 시각을 갖춘 학습자를 육성할 수 있다. 제시문에서 확인할 수 있는 인지적 유연성 이론의 학습 원리는 다음과 같다. 첫째, 지구 온난화라는 주제를 제시했다는 점에서 **주제중심의 학습 원리**를 발견할 수 있다. 둘째, 세부 주제로 다양한 입장을 가진 사람들의 사례를 제시했다는 점에서 **소규모 사례 제시의 원리**를 발견할 수 있다. 이런 수업 방법의 교육적 효과는 다음과 같다. 첫째, **인지적 측면**에서 주제와 관련해 다양한 지식을 습득하게 하여 **인지 경험을 확대**한다. 둘째, **정의적 측면**에서 다양한 관점이 타당성이 가짐을 학습하도록 하여 **포용성·공감의 가치를 습득**하게 한다.

104 구성주의 교수·학습이론 ●●●●○

인지적 유연성 이론의 적용을 통해 포용성을 갖춘 미래 인재를 길러낼 수 있다. 학습자의 인지 작용을 상황에 따라 유연하게 적용하는 인지적 유연성은 다양한 지식을 습득하면서 형성될 수 있는데, 인지적 유연성 이론에서 강조하는 **지식은 상황에 따라 달리 해석되거나 적용될 수 있다는 상황 의존적인 스키마의 연합체라는 특성**을 지닌다. 이 이론을 적용한 수업이 효과성을 갖기 위한 교사의 실행전략은 다음과 같다. 첫째, **수업 도입** 시에 해당 수업 방식에 대한 학생들의 기본 이해를 도울 수 있도록 **수업 목표를 분명하게 제시**한다. 둘째, **수업 전개** 시에 상황 의존적인 스키마의 연합체가 형성될 수 있도록 **미디어를 통해 주제와 관련한 다양한 지식과 관점을 제시**한다. 셋째, **수업 정리** 시에 수업을 통해 형성된 **인지적 유연성을 적용할 수 있도록 후속 과제를 제시**한다.

105 구성주의 교수·학습이론 ●○○○○

인지적 도제이론에서는 교수방법으로서 전문가와 초심자의 상호작용을 제시하는데, 그 목적은 **전문가의 전문성을 모방하면서 새로운 지식을 창출하고 적용하는 것**이라고 할 수 있다. 이 이론은 크게 3단계로 구분되며 단계가 진행될수록 교사의 역할은 점차 축소되는데, 단계별 교사의 구체적 교수·학습활동은 다음과 같다. 1단계에서 교사는 학생이 교사를 관찰하고 따라하는 과정에서 **힌트를 제공**해준다. 2단계에서 교사는 체크리스트를 제공하여 **학습자들이 스스로 학습에 대한 이해도를 체크**할 수 있도록 하고, 중간 질문을 통해 학습자가 자신의 생각을 명확하게 설명하도록 유도한다. 3단계에서 교사는 학습자가 스스로 자신의 문제해결 방법을 고안하거나 적용할 수 있도록 **최종 질문이나 후속 과제를 제시**한다.

106 구성주의 교수·학습이론 ●●●●●

교육목적의 효과적 달성을 위해 실천공동체와 같은 교사 간 협력을 활성화할 필요가 있다. 학습이 사람들과의 사회적 관계에서 발생한다고 보는 실천공동체의 구성요소는 다음과 같다. 첫째, **공동의 관심사**이다. 공동체의 구성원들은 공동의 교육목적 달성을 위해 노력해야 한다. 둘째, **구체적 실천행위**이다. 교육목적 달성을 위한 활동의 내용이 구체적이면서 상호 관계를 맺는 방식으로 공동체를 운영한다. 한편, 제시문의 기본 회칙에서 멤버십의 단계를 두는 것처럼 실천공동체에서는 구성원에게 단계적 참여 권한을 부여하는데, 이를 '합법적 주변 참여'라고 한다. 이러한 단계적 참여 권한을 부여하는 이유는 다음과 같다. 첫째, 교육목적은 그 본질상 단기간에 달성되기 어려운 측면이 존재하는데, 구성원들이 초기에 부담과 위험이 적은 활동에 참여하면서 **공동체의 규율과 문화에 자연스럽게 적응하고, 점차 교육목적 달성에 기여하도록 하기 위함**이다. 둘째, 초보자부터 전문가에 이르기까지의 단계를 구분하고 역할을 분명히 함으로써, 초보자가 실수하거나 실패하더라도 전문가의 도움을 받게 하고 이를 통해 **교육목적 달성을 위한 전문성을 향상시키기 위함**이다.

107 구성주의 교수·학습이론 ●●●●○

언어적 기본소양을 함양하기 위해 상보적 교수이론을 활용할 수 있다. 대화와 같은 상호작용을 통해 교재의 독해력을 증진시키는 상보적 교수이론에 따를 때, 독해력의 세부 구성 능력으로는 첫째, **텍스트를 보고 간단하게 요약**하는 능력, 둘째, **텍스트의 핵심을 파악하고 다음 내용을 예견하는 능력**이 있다. 이 이론에 근거하여 A 교사가 활용할 수 있는 구체적인 교수학습 전략을 테크놀로지와 함께 제시하면 다음과 같다. 첫째, **제한된 시간 내에 텍스트를 읽고 요약한 후 온라인 학급 게시판에 요약 내용을 쓰고 댓글 토론**을 할 수 있다. 둘째, **미완성된 텍스트를 읽게 한 후 텍스트의 뒷부분을 메타버스 교실에 구현**할 수 있다.

108 구성주의 교수·학습이론 ●●●●○

목표기반 시나리오 이론을 적용하여 학생들의 적극적 수업 참여를 이끌 수 있다. 목표기반 시나리오 이론에서는 미션과 표지 이야기를 강조하는데, 교수학습 계획(안)의 (가)와 (나)에 들어갈 예시는 다음과 같다. **미션**은 목표달성을 위해 실제 수행해야 하는 과제로서, 학생들이 **각 부처 장관의 역할을 맡아 부처별 입장을 표명하는 것**을 설정할 수 있다. 표지 이야기는 시나리오의 맥락을 형성하게 하는 것으로서, 원전과 관련한 **최근의 정치·경제 상황, 각 중앙부처의 기본 업무 방향, 국무회의 장면** 등을 제시할 수 있다. 이러한 미션과 표지 이야기가 갖는 교육적 기능은 다음과 같다. 첫째, **미션**은 수업에서 수행해야 할 과제를 분명하게 제시함으로써 **학습자의 학습활동 방향을 설정하는 기능**이 있다. 둘째, **표지 이야기**는 수업에서 다루는 전반적 상황을 이해시킴으로써 **학습에 대한 동기를 유발하는 기능**이 있다.

Chapter 03 교수설계 109 ~ 116

109 일반적 교수설계 ●●○○○

일반적 교수설계 모형을 적용하면서 좋은 수업을 설계할 수 있다. B 교사는 분석 단계에서 바람직한 상태와 현재 상태를 비교하는 요구 분석 실시를 제안하고 있는데, 요구 분석 시 적용할 수 있는 구체적 분석 기법은 다음과 같다. 첫째, **자원명세서 조사**이다. 학습자들에게 제공할 수 있는 교육자원이나 사용 가능한 교육 프로그램을 조사한다. 둘째, **사용분석**이다. 자원과 프로그램을 얼마나 사용하고 있는지 교사나 학생을 대상으로 설문조사를 실시한다. 일반적 교수설계 모형에 따르면 분석 단계를 거친 후 설계 단계로 들어가는데, 설계 단계에서 교사가 할 일은 다음과 같다. 첫째, 학습을 통해서 달성하는 **학습 목표를 구체적이고 행동적인 용어로 진술**한다. 둘째, 학습 목표 달성 여부를 확인할 **평가도구를 선정하고 평가기준을 개발**한다.

110 교수설계이론 ●●●●●

교수설계 시 일반적·체계적인 접근을 통해 학습자의 이해를 촉진할 수 있다. 보고서에 따르면 우선 학습과제를 분석하는 것이 필요한데, 그 방법과 기능은 다음과 같다. 첫째, **군집분석**이다. 이는 언어적 정보와 같이 학습과제 간에 논리적 구조가 없는 과제를 분석하는 것으로, **학습과제에서 사용되는 언어가 학습자 수준에 부합하는지 확인하는 기능**을 갖는다. 둘째, **위계분석**이다. 이는 수업 목표 달성을 위해 수행과제를 단계별로 구분하고 단계별로 필요한 능력을 위계화하는 것으로, **학습과제가 성취 기준에 부합하면서 계열성을 갖는지 확인하는 기능**을 갖는다. 한편, 수업의 효과성을 높이기 위해 가네의 학습 위계이론에 따라 교수·학습 활동을 계획할 수 있는데, 보고서에 언급된 내적 학습 과정을 촉진하기 위해 실시할 수 있는 구체적 교수·학습 활동은 다음과 같다. 첫째, 학습과제가 의미적으로 부호화되면서 학습과제를 오래도록 기억하게 하기 위해 **마인드맵과 같은 구조화된 자료나 암기법 등 학습 안내를 제시**한다. 둘째, 학습과제에 대한 학생들의 반응을 촉진하기 위해 **빈칸 채우기나 토의·토론과 같은 학습 수행을 유도**한다.

111 교수설계이론 ●●●●○

복잡한 주제를 다루는 수업을 위한 교수설계이론으로 라이겔루스의 정교화이론을 활용할 수 있다. A 교사는 복잡한 내용을 가르치기 위해 우선 가르칠 내용의 순서를 정하는 것이 필요한데, **복잡한 개념의 경우 일반적이고 포괄적인 개념에서 구체적 개념이나 예시의 순서로 내용을 조직하는 개념적 조직 모형을 적용**할 수 있다. 한편, A 교사의 고민을 해결할 수 있는 정교화 전략은 다음과 같다. 첫째, 학습한 내용을 정리하는 **요약자**를 사용하여 학생들이 정신없어 하는 것을 해결한다. 예를 들어, **수업한 내용 중 개념별로 꼭 알아야 하는 핵심 키워드를 정리하거나 요약자료를 제시할** 수 있다. 둘째, 수업 내용을 학생들에게 친숙한 내용과 연결하는 **비유 전략**을 사용하여 학생들의 흥미를 유발한다. 예를 들어, 원리나 법칙을 설명하는 경우 **실생활에서 해당 원리·법칙이 적용된 예시를 함께 보여줄** 수 있다. 셋째, 학습자들이 학습 내용과 전략을 직접 통제할 수 있는 **학습자 통제 전략**을 사용하여 학생들이 수동적으로 앉아 있는 문제를 해결할 수 있다. 예를 들어, 많은 내용 중 학습자가 **팀별 과제로 수행하고 싶은 내용을 선택**하게 하거나 과제 이행 방법을 선택하게 할 수 있다.

112 교수설계이론 ●●●●○

개념학습을 통해 학습자의 올바른 개념 이해를 돕고 전이를 촉진할 수 있다. A 교사는 개념의 전형적 학습을 수업 목적으로 제시하는데, 이러한 목적 달성을 위한 교수 방법은 다음과 같다. 첫째, 개념의 결정적 속성을 설명하고 그와 관련한 가장 쉽고 전형적인 예시를 **제시**한다. 둘째, 개념을 이해했는지 확인하기 위해 개념을 적용하는 다양한 **연습** 문제를 제공한다. 셋째, 연습문제 풀이 결과와 과정에 대해 **피드백** 해준다. 한편, B 교사는 학습한 개념과 유사한 개념을 변별하는 학습활동을 계획하는데, 이를 위해 유사 개념과의 차이점을 작성하는 활동지를 제공할 수 있다. 예를 들어 **수학 시간에 마름모를 배웠다면, 정사각형과 평행사변형 그림을 제시하고 해당 도형이 마름모와 어떤 차이가 있는지 서술하는 활동**을 할 수 있다.

113 교수설계이론 ●●○○○

단일한 주제를 하나씩 교수할 때 내용요소제시이론을 적용할 수 있다. 메릴은 우선 목표를 분류할 때 내용 차원의 사실, 개념, 절차, 원리를 수행 차원의 기억하기, 활용하기, 발견하기로 구분한 내용-수행 행렬표를 활용하는데, 이 표에 근거할 때 문제에 제시된 목표들은 다음과 같이 분석된다. 첫째, **목표 1**에서 **'파이'는** 원주율을 나타내는 정보로서 **개념**에 해당하고, 이를 말하기 위해서는 정확한 암기가 필요하므로 **기억하기**에 해당한다. 둘째, **목표 2**에서 **'피타고라스의 정리'**는 직각삼각형의 세 변 간 관계를 나타낸 법칙이므로 **원리**에 해당하고, 이를 통해 건물의 높이를 측정하는 것은 원리를 적용하는 것이므로 **활용하기**에 해당한다. 한편, 내용요소제시이론에 따를 때 개별 목표를 달성하기 위한 2차 자료 제시 유형은 다음과 같다. 첫째, **목표 1은 개념에 대한 단순 암기가 필요하기 때문에 청킹과 함께 기억술을 활용**한다. (또는 목표 1은 이중부호화이론에 따르면 그림과 함께 학습할 때 암기가 촉진되기 때문에 다양한 크기의 원을 활용한 표상법을 적용한다.) 둘째, **목표 2는** 피타고라스 정리의 **적용 과정에서 실수를 할 수 있기 때문에 적용 과정을 관찰하는 한편, 피타코라스 정리의 활용에 대한 정보를 피드백으로 제공**한다.

114 교수설계 모형 ●●●○○

질 좋은 교수설계를 위해 ADDIE 모형을 활용할 수 있다. 일반적 교수설계 모형(ISD)과 다른 ADDIE 모형의 특징은 다음과 같다. 첫째, **분석 − 설계 − 개발 − 평가의 단계를 거치는 ISD 모형과 달리, ADDIE 모형에서는 실행 단계를 포함**한다. 둘째, **교수설계의 최종 평가를 강조하는 ISD 모형과 달리, ADDIE 모형에서는 실행 과정 중에 교수설계를 평가하는 형성평가를 강조**한다. 한편, ADDIE 모형에서는 교수설계를 실행하고 나서 그 운영 결과를 평가할 수 있는데, 이때 활용할 수 있는 평가 지표의 예시는 다음과 같다. 첫째, **교수내용을 효과적으로 전달했는지 여부**이다. 둘째, **교수내용을 전달하는 과정이 투자한 노력이나 시간 대비 효율적이었는지 여부**이다.

115 교수설계 모형 ●●○○○

딕과 캐리 모형을 활용한 교수설계를 통해 교육과정을 체계적으로 설계할 수 있다. A 교사는 구체적인 목표를 진술하기 이전에 준비 작업이 필요하다고 언급하는데, 이때 준비 작업은 다음과 같다. 첫째, 학습 목표 달성과 관련한 학습 과제의 위계성 등을 분석하는 **교수 분석**이다. 둘째, 학습자들의 선수학습 기능과 특성을 분석하는 **학습자 분석**이다. 이 같은 준비 작업을 거쳐 목표를 진술한 이후에는 준거지향 검사를 개발하게 되는데, 이 단계에서 교사의 유의점은 다음과 같다. 첫째, **평가도구를 개발할 때는 교·수·평·기 일체화를 훼손하지 않도록 성취 기준과 문항에서 측정하는 내용을 일치**시켜야 한다. 둘째, **평가 기준을 개발할 때는 평가자의 주관이 개입되어 신뢰성이 떨어지는 것을 방지하기 위해 평가 기준을 분명하게 설정**한다.

116 교수설계 모형 ●●●●●

RPISD와 같은 대안적 교수설계 모형을 적용하여 급변하는 교육 현장에 빠르게 대응할 수 있다. 빠르게 원형을 만들고 이해관계인의 피드백을 강조하는 RPISD 모형이 교육 현장에 유용한 이유는 다음과 같다. 첫째, 빠르게 원형을 만들어 **지식의 급격한 변화에 융통성 있게 대응할 수 있기** 때문이다. 둘째, 학습자와 함께 테스트하며 교수설계에 대한 피드백을 반영하므로 **교육의 민주성을 확보할 수 있기** 때문이다. RPISD 모형을 적용할 때 유의점은 다음과 같다. 첫째, **단계를 순차적으로 거치면 원형 제작 자체가 지연될 수 있음에 유의하여 분석·설계 등의 절차를 동시에 거치도록** 한다. 둘째, **너무 자주 테스트를 거치면 피로감이 발생할 수 있음에 유의하여 적절한 수준에서 수정·보완의 기회를 부여할 필요**가 있다.

Chapter 04 교수매체에 대한 이해 117~121

117 교수매체의 이해 ●○○○○

에듀테크 기술의 발전으로 매체 활용 수업이 부각되고 있다. 매체 활용 수업의 교육적 기능은 다음과 같다. 첫째, **정의적 측면**에서 학습자에게 시청각적 자극을 주어 주의집중을 유도하고 이를 통해 **학습동기를 유발**할 수 있다. 둘째, **인지적 측면**에서 서책형 교과서 내의 정보 획득을 넘어 다양한 형태로 학습자료를 제시함으로써 **학습자의 인지적 경험을 확대**할 수 있다. 매체의 효과성을 분석하는 방법으로 B 교사는 매체 간의 효과성을 비교하는 비교연구, A 교사는 매체 자체의 속성을 연구하는 속성연구를 강조한다. 이때 각 분석 방법의 한계점은 다음과 같다. 첫째, **매체 비교연구**의 경우, 매체 활용 수업은 교수방법의 변화까지 수반하는 경우가 많아 연구 결과가 **매체만의 효과인지, 교수방법의 변화로 인한 효과인지 그 인과관계를 정확히 확인하는 것이** 곤란하다. 둘째, **매체 속성연구**의 경우, 각 매체의 속성이 공통적인 경우가 많아 매체 **고유의 속성 자체를 분석하기 곤란하거나 오랜 시간이 걸릴 수 있다.**

118 교수매체 모형 ●●●○○

벌로의 SMCR 모형에 근거한 교수설계를 통해 학습 내용을 명확히 전달할 수 있다. 이 모형에서는 학생의 교수이해력에 영향을 미치는 다양한 요인을 제시하고 있는데, 그 요인은 다음과 같다. 첫째, 교수매체에 대한 학생들의 활용 능력 등 **통신기술**을 들 수 있다. 둘째, 교수매체에 대한 학생들의 인식·선호 등 **태도**를 들 수 있다. 한편, A 교사는 메시지에 주제와 세부 내용이 반영되어야 한다고 언급하고 있는데, 이외에 추가적으로 반영할 수 있는 메시지 요소는 다음과 같다. 첫째, **처리**이다. 예를 들어 콘텐츠 중심의 수업과 같이 강의식으로 전개할지, 실시간 쌍방향 수업과 같이 활동식으로 전개할지와 같은 **교육방법**을 의미한다. 둘째, **구조**이다. 예를 들어 매체를 활용한 수업에서 **교과서 내용을 순차적으로 제시할지, 매체의 특성에 맞게 수정하여 제시할지와 같은 내용조직 순서**를 의미한다.

119 교수매체 모형 ●●○○○

커뮤니케이션 모형을 바탕으로 수업 내 교사-학생 간 소통을 활성화시킬 수 있다. 커뮤니케이션 모형에 근거할 때 수업 내 교사-학생 간 소통 활성화를 위한 조건은 다음과 같다. 첫째, A 학생이 언급한 학생들의 배경지식과 같은 **경험의 장을 교사가 이해할수록** 소통이 활성화된다. 둘째, B 학생이 언급한 네트워크 불안정과 같은 **잡음이 줄어들수록** 소통이 활성화된다. 이를 고려했을 때 수업 내 교사-학생 간 소통 활성화 방안은 다음과 같다. 첫째, 경험의 장의 차이를 좁히기 위해 교사는 **수업 전 학습자의 특성을 분석하고 그에 맞게 학습 내용을 기호화**한다. 둘째, 수업 전 학교 안팎에 존재하는 **잡음을 사전 조사하고 동료 교사의 도움이나 행정적 지원을 받아 잡음 발생을 최소화**한다.

120 ASSURE 모형 ●○○○○

ASSURE 모형을 활용한 교수설계를 통해 효과적인 매체활용 수업을 실천할 수 있다. ASSURE 모형은 목표 진술에 앞서 학습자 특성을 분석할 것을 제안하는데, 이때 분석할 수 있는 학습자 특성은 다음과 같다. 첫째, **매체 활용 능력과 같은 학습자의 기능 수준**을 분석한다. 둘째, 흥미를 느끼는 매체와 같은 학습자의 **매체 선호도를 분석**한다. 이렇게 학습자 분석이 끝난 후에는 목표를 진술하고 이후 매체와 자료를 선정하는데, 매체를 선정할 때 활용할 수 있는 기준은 다음과 같다. 첫째, **교수자나 학습자가 매체를 충분히 이용 가능한지**를 기준으로 한다. 둘째, **매체를 구입하는 비용이 현실적인지**를 기준으로 한다.

121 ASSURE 모형 ●●○○○

ASSURE 모형을 적용하면서 에듀테크 활용 수업을 내실화할 수 있다. ASSURE 모형에 따르면 매체와 자료 선정 이후 (가) 단계는 매체 활용 단계에 해당하는데, 이때 교사가 해야 할 일은 다음과 같다. 첫째, **수업 자료를 사전 검토**한다. 교사가 제작한 자료와 학생이 보는 자료의 해상도와 색상이 일치하는지, 자료에 비교육적 요소가 없는지 등을 확인한다. 둘째, **수업 환경을 준비**한다. 에듀테크 활용 수업을 위한 각종 기기들이 잘 작동하는지, 네트워크 환경은 적절한지 확인한다. 매체 활용 단계 이후에는 (나) 단계인 학습자 참여 유도 단계를 거치게 되는데, 이때 교사의 실행 방안은 다음과 같다. 첫째, 학습 과제를 부여하여 에듀테크를 활용해 과제를 수행할 **연습 기회를 제공**한다. 둘째, 학습 과제 수행 과정을 관찰하고 보완할 점이 있으면 **피드백**한다.

Chapter 05 교수학습 실행 122 ~ 127

| 본책 p.083 |

122 교사중심의 교수학습방법 ●○○○○

상황에 맞는 교수방법을 적용하면서 교육의 효과를 높일 수 있다. 교사가 일방적으로 설명하는 수업 방식인 강의식 수업이 적합한 상황은 다음과 같다. 첫째, **다수를 상대로 단시간에 많은 내용을 전달해야 하는 상황**이다. 둘째, **활동중심 수업을 위해 기본적인 내용 숙지가 필요한 상황**이다. 이러한 강의식 수업의 교수 효과를 높이기 위한 실천 방안은 다음과 같다. 첫째, 학생들이 교사의 설명에 집중할 수 있도록 **강의 중 칠판을 두드리는 것과 같은 비언어적 표현도 함께 활용**한다. 둘째, 학생들이 교사의 설명을 쉽게 이해할 수 있도록 **구조화된 판서를 함께 제시**하거나 **예시와 함께 설명**한다.

123 교사중심의 교수학습방법 ●●●○○

질문 수업을 통해 잠자는 교실을 깨울 수 있다. A 교사는 학생들에게 질문하는 수업을 진행하고자 하는데, 이때 교사의 유의점은 다음과 같다. 첫째, **특정 학생만 답하지 않도록 다양한 학생들에게 답을 할 수 있는 기회를 제공**한다. 둘째, **개방형 질문에 대해서는 충분한 사고가 필요한 점에 유의하여 질문을 하고 생각할 수 있는 시간을 설정**한다. 이처럼 교사가 학생에게 질문하는 수업 유형 외에 실시할 수 있는 질문 수업은 다음과 같다. 첫째, **학생이 학생에게 질문하는 수업**이다. 이러한 수업은 학생들로 하여금 **상호 이해도를 제고하는 기능**을 수행한다. 둘째, **학생이 교사에게 질문하는 수업**이다. 이러한 수업은 **학습자가 관심을 갖거나 부족한 부분을 확인할 수 있는 기능**을 수행한다.

124 학습자중심의 교수학습방법 ●○○○○

토의·토론 수업을 통해 2022 개정 교육과정의 목표를 달성할 수 있다. 주제에 대해 자신의 의견을 정리하고 표현하는 토의·토론 수업을 통해 길러지는 역량은 다음과 같다. 첫째, **토의·토론을 위한 각종 자료를 수집하고 정리하는 과정에서 지식정보처리 역량**이 길러진다. 둘째, **팀별로 합치를 이루거나 타 학생과 생각을 공유하는 과정에서 협력적 의사소통 역량**이 길러진다. 한편, 토의·토론 수업에서는 예상치 못한 달리 다양한 문제를 겪을 수 있는데, 성찰문에서 제시한 문제를 예방하기 위한 방안은 다음과 같다. 첫째, 거꾸로 수업과 같이 토의·토론 수업 전 학생들이 **토론 주제와 핵심 내용에 관해 학습할 수 있는 영상을 제공**하여 수업 시작이 지체되는 것을 방지한다. 둘째, 사전에 **토의·토론 규칙을 만들고 안내**하여 일부 학생만 참여하는 것을 방지하고 토의·토론이 과열되는 것을 방지한다.

125 학습자중심의 교수학습방법 ●●○○○

협동학습의 효과를 극대화하기 위해 그 단점을 이해하고 이를 극복하기 위한 교사의 역할을 고려할 필요가 있다. A 학생의 의견과 같이 협동학습은 **일부만 참여하고 나머지 학생들은 소극적으로 참여하는 무임승차 효과가 발생할 수 있다는 단점**이 있다. 이를 방지하기 위한 구체적 수업전략은 다음과 같다. 첫째, 수업의 **도입** 단계에서 교사는 소극적 학생에게 페널티를 부여할 수 있다는 **협동학습 규칙을 학생들과 함께 만든다**. 둘째, 수업의 전개 단계에서 교사는 집단을 순회하면서 협동학습 **진행 과정을 관찰하고 피드백**을 제공한다. 셋째, 수업의 정리 단계에서 교사는 학생들로 하여금 **집단 내 기여도 평가와 같은 동료평가**를 실시하도록 한다.

126 학습자중심의 교수학습방법 ●●●○○

학습자 맞춤형 교육을 위해 개별화 교수체제를 활용할 수 있다. 개별화 교수체제가 갖는 교육적 효과는 다음과 같다. 첫째, 과제를 세부 단원으로 구분하고 하나의 단원을 80~90% 이상 학습한 이후 다음 단계로 나아가도록 함으로써 **모든 학습자의 완전학습을 지향**한다. 둘째, 학습을 도와주고 오답을 교정해주는 보조관리자와의 상호작용을 통해 **비고츠키가 말한 근접발달영역(ZPD)을 학습**하도록 한다. 한편, 이 교수법에서는 필요한 상황에서 강의식 수업을 활용하도록 한다. 강의식 수업을 활용할 수 있는 상황으로는 첫째, **학습 동기를 유발**하고자 할 때이다. 새로운 상황이나 기본 배경을 설명할 때는 강의식 수업을 통해 동기를 유발할 수 있다. 둘째, **학습의 전이를 촉진**하고자 할 때이다. 단계별로 학습한 내용을 어느 상황에 적용해야 할지, 또는 어떻게 적용해야 할지에 대해서 교사가 간단하게 설명해줄 수 있다.

127 학습자중심의 교수학습방법 ●●●○○

교수학습방법의 변화를 통해 미래 사회에 필요한 인재를 육성해야 한다. 제시문에서 언급된 바와 같이 교육의 전 과정에서 학습자가 자율성을 발휘하는 교수학습방법을 '자기주도학습'이라고 한다. 이러한 방법을 교실 내에 적용하기 위한 교사의 실행 전략은 다음과 같다. 첫째, **수업 전 교사는 학생들에게 자기주도학습법의 적용 예시를 제공**하여 해당 학습법에 대한 학생들의 이해도를 높인다. 둘째, **수업 중 교사는 학생의 학습 과정을 관찰하고 피드백**해줌으로써 학생이 오개념을 습득하는 것을 방지하고, 학습의 방향성을 잃지 않도록 돕는다. 셋째, **수업 후 교사는 자기평가의 기준을 제공**함으로써 학생들 스스로 자신의 학습과정을 성찰하도록 한다.

Chapter 06 디지털 대전환 시대 새로운 교수학습방법 128 ~ 132

128 새로운 교수방법 ●●●●●

컴퓨터를 활용하면서 다양한 학습 상황을 제시할 수 있다. 컴퓨터를 활용하여 학습자를 가르치는 CAI 유형 중 A 교사가 활용할 수 있는 유형은 다음과 같다. 첫째, 학생들의 수준별로 다른 문제를 제시하는 유형은 **개인교수형**이다. 둘째, 비용이나 위험부담이 높은 학습과제의 경우 컴퓨터로 유사한 환경을 경험하게 하는 유형은 **시뮬레이션형**이다. 한편, B 교사는 CAI 유형 중 게임형을 적용하여 수업을 진행하고자 하는데, 교수설계 시 반영할 수 있는 게임적 요소는 다음과 같다. 첫째, **경쟁 요소**이다. 학생들이 경쟁할 수 있는 문제를 구성한다. 둘째, **포인트 요소**이다. 학생들이 경쟁 과정에서 습득한 결과에 따라 상이한 포인트를 얻을 수 있도록 규칙·제도를 설정한다.

129 새로운 교수방법 ●●●●○

디지털 소양 교육과 학습관리시스템의 활성화를 통해 교육의 담대한 변화를 이끌 수 있다. A 교장은 디지털 소양 교육과 관련하여 기기 활용 능력, 정보 검색 능력 외에 다른 능력이 반영된 디지털 소양 함양을 강조하는데, 이에 근거할 때 디지털 소양을 함양하기 위한 구체적 교수·학습 활동은 다음과 같다. 첫째, **정보의 출처 찾기 활동을 통해 디지털 정보를 평가하는 역량**을 함양한다. 둘째, **위키 기반 수업을 통해 새로운 디지털 정보를 창출하고 활용하는 역량**을 함양한다. 한편, A 교장은 학습관리시스템을 활용할 것을 강조하는데, 그 방안은 다음과 같다. 첫째, **학습자가 과제를 제출하고 교사가 평가·기록**한다. 둘째, **토론 게시판이나 화상회의를 통해 온라인에서도 쌍방향 학습활동**이 이루어지도록 한다.

130 새로운 교수방법 ●●●○○

AI의 교육적 활용을 통해 미래 사회에 적합한 인재를 양성할 수 있다. A 교사는 AI 교육의 유형 중 AI 이해 교육과 AI 가치 교육이 강조된다고 언급하고 있는데, 이 교육 유형의 적용 예시는 다음과 같다. 첫째, **AI 이해 교육**은 AI가 무엇인지 아는 기초 소양을 함양하기 위한 교육으로, **AI의 역사와 기능을 강의식 수업**을 통해 교수할 수 있다. 둘째, **AI 가치 교육**은 AI를 왜 배워야 하는지에 대한 교육으로, **AI 윤리와 AI의 명암과 관련해 토론하는 방식**을 적용할 수 있다. 한편, 최근 AI가 더욱 발전하면서 챗 GPT 등의 생성형 AI를 활용한 수업이 적용되고 있는데, 이때 유의점은 다음과 같다. 첫째, **AI가 생성하는 정보가 모두 옳은 것이 아닐 수 있음에 유의하여 정보를 검증하는 활동을 함께 실시**한다. 둘째, **AI에 대한 지나친 의존은 학생들의 창의성을 제약할 수 있음에 유의하여 올바른 활용 가이드를 함께 제시**한다.

131 새로운 교수방법 ●●○○○

원격수업을 활용하면서 공교육의 다양성을 확보할 수 있다. 교육부에 따르면 원격수업은 크게 3가지 유형으로 구분되는데, 그 유형과 기능은 다음과 같다. 첫째, **실시간 쌍방향 수업**이다. 이 유형은 화상 매체를 활용하여 교사와 학생이 동시에 접속하여 진행하는 수업으로, **즉각적 피드백을 활성화하는 기능**을 갖는다. 둘째, **콘텐츠 활용중심 수업**이다. 이 유형은 교사가 제작한 영상을 업로드하여 학생이 수강하는 수업으로, **학습 내용을 신속하게 전달하는 기능**을 갖는다. 셋째, **과제중심 수업**이다. 이 유형은 교사가 과제를 제시하면 학생이 온라인에 과제물을 업로드하는 수업으로, **수준별 맞춤형 과제를 제시하는 기능**을 갖는다. 이러한 온라인 학습환경에서는 비대면성으로 인해 학습자 간 상호작용이 제약될 수 있는데, 버지의 분류에 따를 때 이때 필요한 역할은 학습자 간 상호작용 환경을 구축하는 **사회적 역할**이다.

132 새로운 교수방법 ●○○○○

교육방식을 다양화하면서 학습의 효과성을 높일 수 있다. 사전에 온라인을 통해 설명형 강의를 듣고 사후에 활동 중심 수업을 진행하는 거꾸로 수업의 장점은 다음과 같다. 첫째, 디딤수업에서는 학생들이 자신의 속도에 맞춰 설명을 들을 수 있으므로 **학습자의 내용 파지에 유리**하다. 둘째, 본시학습에서는 수업이 학습자들의 활동을 중심으로 진행되므로 **학습자의 학습동기가 유발**된다. 이러한 거꾸로 수업의 성공을 위한 실행 방안은 다음과 같다. 첫째, **디딤수업에 대한 참여를** 높이기 위해 디딤수업 내용과 관련하여 **1학생 1질문 만들기와 같은 과제를 부여한다**. 둘째, **디딤수업과 본시학습 간의 연결고리**를 확보하기 위해 **본시학습 도입 단계**에서 본시학습과 관련 있는 디딤수업의 **주요 내용을 간단하게 요약**한다.

MEMO

최원휘 SELF 교육학
미라클모닝 300제
모범답안 해설

IV

교육평가

Chapter 01 교육평가의 기본적 이해 133~134

133 교육평가의 기초

평가 패러다임을 개선함으로써 교육적 효과를 극대화할 수 있다. 제시문에서는 새로운 평가 패러다임으로 학습을 위한 평가와 학습으로서의 평가를 강조하고 있는데, 이를 교실 내에서 실천하는 방안은 다음과 같다. 첫째, **학습을 위한 평가**의 실천과 관련하여 수업 중 형성평가를 실시하고 **형성평가 결과를 바탕으로 추후 교수학습 방향을 개선**한다. 둘째, **학습으로서의 평가**의 실천과 관련하여 **자기평가와 동료평가와 같이 학습자가 주체가 되는 평가**를 실시함으로써 학습자가 평가 자체만으로도 자기주도성, 포용성 등을 함양할 수 있도록 한다. 이와 같이 새로운 평가 패러다임에 따른 평가를 설계할 때 교사가 검토해야 할 사항은 다음과 같다. 첫째, 평가의 타당도를 높이기 위해 **평가의 목적 및 평가하고자 하는 역량을 검토**한다. 둘째, 학습자 맞춤형 평가가 될 수 있도록 **학습자의 수준과 동기** 등을 검토한다.

134 교육평가의 운영

평가 오류를 개선하면서 공정한 교육을 실천할 수 있다. 교원평가 결과에서 확인할 수 있는 평가의 오류와 그 부정적 효과는 다음과 같다. 첫째, 선생님의 좋은 점에서 언급된 것처럼 평가점수가 중간점수에 몰리는 오류를 **집중 경향의 오류**라고 한다. 이 오류는 **평가의 변별력을 낮춘다**는 부정적 효과를 발생시킨다. 둘째, 선생님께 바라는 점에서 언급된 것처럼 학생의 실제 능력보다는 전반적 인상·배경에 대한 선입견이 평가에 영향을 주는 오류를 **인상의 오류(후광효과)**라고 한다. 이는 평가자의 주관이 개입되어 평가의 **공정성 시비**가 나타날 수 있다는 부정적 효과를 발생시킨다. 이러한 오류를 예방하기 위한 실천 방안은 다음과 같다. 첫째, 집중 경향의 오류를 방지하기 위해 평가점수 또는 등급별로 일정 비율을 할당하는 **강제배분법**을 활용한다. 둘째, 인상의 오류를 방지하기 위해 평가자의 신상을 지우고 평가하는 **블라인드 평가**를 실시한다.

Chapter 02 교육평가의 유형 135 ~ 143

135 교육평가의 유형

질적 평가를 통해 학습자의 전인적 성장을 도모할 수 있다. B 교사는 학습자의 전인적 성장을 돕기 위해 질적 평가를 강조하고 있는데, B 교사가 가진 평가의 관점은 다음과 같다. 첫째, 학습자를 종합적으로 분석한다는 점에서 **총평관**을 따르고 있다. 둘째, 종합적으로 분석한 평가 결과에 대해 가치 판단을 강조한다는 점에서 **평가관**을 따르고 있다. 이때 B 교사가 활용할 수 있는 구체적인 평가 방법은 다음과 같다. 첫째, 총평관에 근거하여 **관찰과 상담을 통한 진단 평가**를 실시한다. 둘째, 평가관에 근거하여 **절대평가**를 실시하되, 수치적인 부분뿐 아니라 동기 수준·사회성과 관련한 평가 요소를 반영한다.

136 교육평가의 유형

기초학력 보장을 위해 정확한 진단을 실시할 필요가 있다. 기초학력 진단을 위해 3단계의 과정을 거치게 되는데, 이러한 평가 절차를 거치는 이유는 다음과 같다. 첫째, 관찰·면담, 진단 검사 등을 통해 학습자의 인지적 영역과 정의적 영역에서의 **기초학력을 종합적으로 진단**하기 위함이다. 둘째, 학교 내에서는 팀을 통해, 학교 외에서는 전문 센터를 통해서 정밀 진단하게 되는데, 이는 **과학적이고 전문적인 진단을 통해 학생 맞춤형 지원을 실시**하기 위함이다. 한편, 기초학력 진단 결과를 안내할 때는 다음의 유의사항을 지켜야 한다. 첫째, 학부모에게 안내할 때는 기초학력 진단 결과는 학생의 고정적 능력에 대한 절대적 평가가 아니므로 **지속적으로 개선 가능함을 알리고, 후속 지원 절차를 함께 안내**하여 학부모의 불안감을 최소화한다. 둘째, 학생들에게 안내할 때는 학습지원 대상학생으로 선정된 학생이 부진아로 낙인되지 않도록 **철저하게 대상학생에게만 평가 결과를 제공**한다.

137 교육평가의 유형 ●●●●○

피드백을 통해서 학생들의 올바른 성장을 이끌 수 있다. 형성평가에서 학생들이 오답을 제시한 경우 교사는 피드백을 제공하는데, 이때 유의점은 다음과 같다. 첫째, 시간이 지나면 학생들의 피드백 수용도가 떨어질 수 있으므로, **오답에 대해 최대한 즉각적으로 피드백**한다. 둘째, 정·오답 여부만 제시하면 추후 학습 전략의 수정으로 이어지지 않을 수 있으므로, **피드백 시 오답 사유를 함께 제시**한다. 한편, B 교사는 효과적인 피드백으로서 해티 등이 언급한 과정 수준 피드백과 자기조절 수준 피드백을 제시하는데, 이를 적용한 예시는 다음과 같다. 첫째, **과정 수준 피드백**은 문제를 해결하는 전략이나 과정에 대한 피드백에 해당하는데, 구체적으로는 "**이 문제를 풀 때 A 전략을 사용한 점이 좋았는데, 다음에는 B 전략도 사용해 보자.**"라는 예시를 들 수 있다. 둘째, **자기조절 수준 피드백**은 학습자가 자신의 학습을 조절할 수 있도록 돕는 피드백에 해당하는데, 구체적으로는 "**스스로 오류를 찾고 수정하려는 태도가 아주 좋아요.**"라는 예시를 들 수 있다.

138 교육평가의 유형 ●●○○○

준거참조평가를 통해 평가의 교육적 기능을 강화할 수 있다. 준거참조평가를 적용하기 이전에 우선 준거를 설정하는 것이 중요한데, 보고서에서 제시한 최소 능력자의 예상 정답률을 바탕으로 준거를 설정하는 앵고프 방법이 가장 대표적이다. 앵고프 방법은 평가 설계자가 자신의 경험과 주관에 근거하여 예상 정답률을 설정하므로 **어떤 문제라도 쉽고 빠르게 적용할 수 있다는 장점**이 있지만, 평가자의 주관에 의존하므로 **객관성이 떨어진다는 단점**이 있다. 한편, 준거참조평가를 통해 얻은 결과의 교육적 활용 방안은 다음과 같다. 첫째, 학생들의 목표 도달 정도에 따라 **학생별 보충학습의 양과 난이도를 결정할 때 활용**한다. 둘째, 교사 자신의 수업 전략을 성찰하고 **추후 교수학습의 개선을 위한 기초자료로 활용**한다.

139 교육평가의 유형 ●○○○○

평가 방식의 개선을 통해 학생들의 지속적 성장을 유도할 수 있다. A 교사는 학생이 여러 시기에 걸쳐 성장하는 정도를 기준으로 평가하려고 하는데, 이러한 평가 방식을 '성장참조평가'라 한다. 성장참조평가가 학생에게 미치는 효과는 다음과 같다. 첫째, 누구나 성장을 통해 좋은 평가를 받을 수 있으므로 **성적이 낮은 학생에게 학습 동기를 유발**한다. 둘째, 처음에 실수 등으로 낮은 성취결과가 나왔다 하더라도 **여러 번의 평가를 통해 만회할 수 있는 기회가 부여되므로 시험 스트레스를 상대적으로 덜 유발**한다. 한편, 성장참조평가를 할 때 교사의 유의점은 다음과 같다. 첫째, 학생들이 높은 성장 정도를 보이기 위해 초기에 고의로 낮은 성취 수준을 보일 수 있으므로 **성장은 자기 기준의 발전이라는 점을 분명하게 인식시켜야 한다**. 둘째, 같은 성취 결과라도 출발점이 낮았던 학생에게 높은 점수를 주는 것에 대해 타 학생이 불만을 가질 수 있으므로 **평가 목적, 평가 결과 활용 방안 등에 대한 사전 안내를 강화**한다.

140 교육평가의 유형 ●●○○○

학습자의 전인적 성장을 위해서 정의적 영역에 대한 평가를 강조할 필요가 있다. 학습자의 성장과 관련하여 평가할 수 있는 정의적 영역은 첫째, **학습 동기**이다. 학습에 대한 학생의 의지·태도와 관련한 내용은 **체크리스트** 등을 통해 확인할 수 있다. 둘째, **사회성**이다. 공동체 역량으로서의 사회성을 평가하기 위해 **사회성 측정법**을 활용할 수 있다. 한편, 정의적 영역에 대한 평가 시 교사가 겪을 수 있는 어려움은 다음과 같다. 첫째, 정의적 영역은 평가 요소를 어떻게 정의하느냐에 따라 평가 내용과 결과가 달라져 **구인타당도 저하 문제**를 경험할 수 있다. 둘째, 정의적 영역은 명확하게 수치화하기 곤란하므로 주로 질적평가를 진행하는데, 그 과정에서 평가자의 주관성이 개입되어 **신뢰도 저하 문제**를 경험할 수 있다.

141 교육평가의 유형 ●●●○○

2022 개정 교육과정의 현장 안착을 위해 학생이 주체가 되는 평가를 적극 활용할 필요가 있다. 학생이 주체가 되는 평가의 종류는 다음과 같다. 첫째, **자기평가**이다. 이는 학습 후 자기평가 보고서나 체크리스트를 작성하는 것을 의미한다. 둘째, **동료평가**이다. 이는 모둠 내, 모둠 간에 학생들이 타 학생을 평가하는 것을 의미한다. 한편, 학생이 주체가 되는 평가는 B 교사의 언급처럼 학생별 평가 이해도나 능력 차이로 교육격차를 유발할 수 있는데, 이를 고려했을 때 교사의 역할은 다음과 같다. 첫째, **평가 준비** 시 학생들의 평가 이해도를 높일 수 있도록 **평가 예시를 제공하거나 학생과 함께 평가 기준을 만든다**. 둘째, **평가 실행** 시 학생들이 평가 기준을 달리 적용하는 것을 방지하기 위해 **평가 과정을 관찰하고 피드백 해준다**.

142 교육평가의 유형 ●●●●○

평가 방식의 개선을 통해 학생들의 잠재 가능성을 발현시킬 수 있다. A 교사는 교사와 학생의 상호작용을 통해 잠재 가능성을 평가하는 역동적 평가를 강조하고 있는데, 이러한 평가를 교실 내에서 실천하는 방안은 다음과 같다. 첫째, **샌드위치형**으로, 사전 검사 이후 교사가 교수학습활동을 진행하고, 이후 검사를 통해 잠재 가능성의 발현 정도를 평가한다. 둘째, **케이크형**으로, 학습자가 문제를 풀이하는 과정을 계속해서 관찰하면서, 문제풀이 과정에 대해 즉각적으로 피드백 해주면서 평가를 진행한다. 이러한 역동적 평가를 통해 얻은 결과를 활용하는 방안은 다음과 같다. 첫째, 학습자가 어떤 도움을 통해 수행이 가능해졌는지를 분석하여 **개별화된 교수전략을 설계할 때 활용**한다. 둘째, 학습자의 잠재 가능성 정도를 파악하여 **학생·학부모 상담 시 학생에 대한 이해자료로 활용**한다.

143 교육평가의 유형 ●●○○○

평가의 효과성을 높이기 위해 평가에 대한 검토 또한 필요하다. A 교사는 교과협의회를 통해 평가에 대한 평가를 실시하고자 하는데, 이러한 평가의 명칭을 '**메타평가**'라 한다. 메타평가의 기능으로는 평가의 결과를 바탕으로 **평가 방법의 개선사항과 평가 시 고려사항을 확인**할 수 있다는 것을 들 수 있다. 한편, 메타평가 시 활용할 수 있는 평가 기준은 다음과 같다. 첫째, **평가의 유용성**이다. 평가가 본래의 기능을 다하였는지 타당도를 검증한다. 둘째, **평가의 정당성**이다. 평가가 학습자들에게 지나친 부담을 주지 않았는지, 윤리적인 문제가 없었는지 검증한다.

Chapter 03 평가방법의 선정과 활용

144 문항 제작 ●●●○○

올바른 평가를 실시함으로써 학생들을 정확히 이해할 수 있다. 이때 평가의 질을 높이기 위해 올바른 문항을 작성하는 것이 중요한데, 문항 제작 시 고려사항은 다음과 같다. 첫째, 교·수·평·기 일체화를 위해 **교육과정 내 성취기준과 교사가 실제 가르친 내용**을 고려한다. 둘째, 평가의 타당도 확보를 위해 학습자의 **선수학습 수준뿐 아니라 학습자의 독해력·어휘력 등을 고려**한다. 이후 문항을 제작할 때는 제작의 청사진을 함께 작성하는데, 청사진에 들어갈 요소는 다음과 같다. 첫째, 문항의 내용소와 행동소를 분석한 **이원목적분류표**이다. 둘째, 문항 유형, 난이도, 예상 소요시간을 반영한 **문항정보표**이다.

145 문항 분석 ●●○○○

질 좋은 평가 문항을 분석하고 적용함으로써 공교육 경쟁력을 제고할 수 있다. 문항을 분석할 때 활용하는 문항반응이론에 따르면, **문항의 난이도**는 문항특성곡선의 y축에서 **정답을 맞힐 확률 0.5에 대응되는 x축의 좌표값에 따라 측정**할 수 있다. 제시문의 경우 x축의 좌표값이 가장 높은 3번 문항이 난도가 가장 **높은 문항**에 해당한다. 한편, 문항특성곡선의 기울기는 문항의 변별도를 나타내는데, 문항의 변별도가 높아질수록 기울기가 가팔라진다. 이때 기울기를 가파르게 하는 방법은 다음과 같다. 첫째, **선택지에 매력적인 오답을 포함**하여 변별도를 높인다. 둘째, 시험시간과 선택지의 개수를 적정화하여 찍어서 맞추는 확률인 추측도를 낮춘다.

146 문항 분석 ●○○○○

학습자의 상대적 위치를 파악하기 위해 T점수와 백분위를 활용할 수 있다. 원점수에서 평균점수를 뺀 값을 표준편차로 나눈 Z점수를 바탕으로 T점수를 구할 수 있는데, 국어 과목에서 **A 학생의 Z점수는 2이므로 T점수는 70점**에 해당한다. 또한 수학 과목에서 **A 학생의 Z점수는 1이므로 T점수는 60점**에 해당한다. 나아가 Z점수를 통해서 백분위도 구할 수 있는데, A 학생의 경우 **국어 과목은 2표준편차 위에 있으므로 상위 2.28%**에 해당하고, **수학 과목은 1표준편차 위에 있으므로 상위 15.87%**에 해당한다.

147 검사의 양호도 분석 ●○○○○

타당도가 높은 평가를 통해 교·수·평·기 일체화를 실현할 수 있다. A 교사의 언급처럼 정의적 영역에 대한 평가 시 구인타당도를 확보하는 것이 중요한데, '구인타당도'란 **조작적으로 정의되지 않은 인간의 심리적 특성을 분석하여 조작적으로 정의하고, 평가가 그 정의에 맞게 제대로 측정되었는지와 관련한 타당도**이다. 이러한 구인타당도를 확보하기 위해서는 정의적 요인을 세부적으로 분석하는 **요인분석법**을 활용할 수 있다. 한편, B 교사는 내용타당도를 강조하는데, 내용타당도는 검사가 교육과정 내용을 얼마나 잘 포함하는가와 관련한 **교과타당도**와, 검사가 교수학습 중에 가르치고 배운 내용을 얼마나 잘 포함하는가와 관련한 **교수타당도**로 구분된다. 이러한 내용타당도를 확보하기 위해서는 **내용소와 행동소를 분석하는 이원목적분류표**를 작성할 수 있다.

148 검사의 양호도 분석 ●●●○○

타당도가 높은 평가 방식을 적용하여 교육의 질을 높일 수 있다. 타당도와 관련해 A 교사는 공인타당도와 예측타당도를 언급하고 있는데, 이러한 타당도를 판단하기 위한 기준은 다음과 같다. 첫째, **공인타당도의 경우, 기존에 타당도가 높다고 판단된 평가도구와 새로운 평가도구의 상관관계를 기준으로** 타당도를 판단한다. 둘째, 예측타당도의 경우, **실시한 검사가 미래의 행동 수행을 어느 정도 예측하는가를 기준으로** 타당도를 판단한다. 한편, B 교사는 결과타당도를 강조하고 있는데, 결과타당도를 측정하기 위한 요소는 다음과 같다. 첫째, **평가가 피평가자에게 미치는 심리적·정서적 영향을 평가**한다. 둘째, **평가가 사회·환경에 미친 영향을 평가**한다.

149 검사의 양호도 분석 ●○○○○

신뢰도 높은 평가를 통해 공정한 교육환경을 조성할 수 있다. 신뢰도를 측정하기 위해 A 교사의 경우 이전에는 재검사 신뢰도 측정 방식을 적용했고, 앞으로는 반분검사 신뢰도 측정 방식을 적용하고자 한다. 재검사 신뢰도 측정 방식에 비해 반분검사 신뢰도 측정 방식이 갖는 장점은 다음과 같다. 첫째, 하나의 검사를 두 번 실시하는 재검사 신뢰도 측정 방식과 달리, 반분검사 신뢰도 측정 방식은 하나의 검사를 **한 번만 실시하면 되므로 비용과 시간상 효율적**이다. 둘째, 같은 검사를 두 번 실시함에 따라 반복효과·연습효과가 발생할 수 있는 재검사 신뢰도 측정 방식과 달리, 반분검사 신뢰도 측정 방식은 서로 다른 문항으로 검사를 실시하므로 **반복효과 등을 배제**할 수 있다. 반분검사 신뢰도를 측정하기 위해 검사를 두 부분으로 나누는 방법은 다음과 같다. 첫째, 여러 문항을 번호를 기준으로 **전반부와 후반부로 구분**한다. 둘째, 역시 번호를 기준으로 하되, **홀수 번호와 짝수 번호로 구분**한다.

150 검사의 양호도 분석 ●●●●○

좋은 평가를 현장에 적용하여 공정한 교육을 실천할 수 있다. 좋은 평가에 대해 A 교사는 신뢰도가 높은 평가라고 생각하는데, 신뢰도 높은 평가를 위해 문항 제작 시 고려사항은 다음과 같다. 첫째, **문항의 난도를 고려한다. 난도가 지나치게 높을 경우 추측에 의해서 답을 내는 경우가 많아 오차 점수가 높아지기 때문**이다. 둘째, **문항 수를 고려한다. 문항 수를 늘리면 전체적으로 추측에 의한 정답이 줄고 평균의 안정성이 높아지기 때문**이다. 한편, B 교사는 객관도가 높은 평가를 좋은 평가라고 생각하는데, 객관도를 높이기 위한 실행 방안은 다음과 같다. 첫째, 평가 기준인 **루브릭을 분명한 용어로 상세하게 제작**하여 채점자가 바뀌더라도 일관된 점수가 나오도록 한다. 둘째, **여러 사람이 공동 평가하면서 응시자의 이름을 가리는 블라인드 평가**를 적용하여 평가자의 주관 개입을 최소화한다.

Chapter 04 컴퓨터화 검사와 수행평가 151~154

151 컴퓨터를 활용한 평가

평가 방식의 혁신을 통해 디지털 대전환 시대에 맞는 교육을 실천할 수 있다. 최근 디지털 기술의 발전으로 에듀테크 기반의 평가가 강조되고 있는데, 전통적 평가와 비교되는 에듀테크 기반 평가의 특징은 다음과 같다. 첫째, **평가 시점** 측면에서 전통적 평가는 중간·기말고사와 같이 학습 완료 시점에 평가를 진행하는 반면, **에듀테크 기반 평가는 학습 도중 수시로 평가**한다. 둘째, **피드백 방식** 측면에서 전통적 평가는 평가 결과가 나온 후 한참 뒤에 피드백을 제공하지만, **에듀테크 기반 평가는 학생의 학업 성취에 대해 즉각적으로 실시간 피드백을 제공**한다. 이러한 에듀테크 기반 평가의 구체적 적용 예시는 다음과 같다. 첫째, 학습자의 반응 수준에 따라 문제의 난이도를 조정하는 **컴퓨터화 능력 적응 검사(CAT)**가 있다. 둘째, **학습관리시스템(LMS)**을 통해 학생들이 학습과제를 제출하면, 교사는 이를 평가하여 평가 결과를 누적 관리한다.

152 학습 수행과정 및 활동에 대한 평가

루브릭을 적용한 수행평가를 통해 학습자의 성장 과정을 관찰할 수 있다. 채점 기준인 루브릭의 기능은 다음과 같다. 첫째, **교사 측면**에서 루브릭은 학습 목표를 구체화하면서 **교사의 수업 방향을 분명하게 설정하는 기능**을 수행한다. 둘째, **학습자 측면**에서 루브릭이 제공되면 학습자 스스로 자신의 학습 과정을 평가하고 조절함으로써 **자기조절 학습태도의 함양 기능**을 수행한다. 따라서 루브릭을 설정하는 것이 중요한데, 루브릭 설정 시 유의점은 다음과 같다. 첫째, 해석상 논란의 여지가 없도록 **학생의 행동과 성취를 명확한 용어로 제시**한다. 둘째, 학생들의 스트레스 유발을 최소화하기 위해 **실현 가능한 수준으로 작성**한다.

153 학습 수행과정 및 활동에 대한 평가 ●●○○○

과정중심평가를 통해 협동학습을 활성화할 수 있다. 성취기준에 근거하여 학생의 학습과정을 종합적으로 평가하는 과정중심평가의 기능은 다음과 같다. 첫째, 학생의 학습과정 전체를 평가하면서 교수학습 방법의 개선사항을 발굴하고, 학습자 수준에 맞춰 다음 교수학습을 계획하고 조정하는 **학습을 위한 평가 기능**이다. 둘째, 학생이 직접 평가에 참여하면서 자기의 부족한 부분을 발굴하고 자기주도성을 함양하는 **학습으로서의 평가 기능**이다. 한편, 협동학습에서는 모든 학생들이 참여하여 문제를 해결하는 것을 강조하는데, 협동학습 과정을 평가할 때 반영할 수 있는 평가기준과 방법은 다음과 같다. 첫째, 모둠 내에서 학습이탈자가 없는지 확인하기 위해 **학생별 학습 참여도**를 평가기준으로 활용한다. 이때 모둠 내에서 동료를 평가하는 **모둠 내 동료평가**를 적용한다. 둘째, 모둠 내에서 자신이 맡은 역할에 최선을 다했는지 확인하기 위해 **역할 이행 정도**를 평가기준으로 활용한다. 이때 자신의 학습 과정을 스스로 평가하는 **자기평가**를 적용한다.

154 학습 수행과정 및 활동에 대한 평가 ●○○○○

평가방법을 개선하면서 사회에 필요한 역량을 함양할 수 있다. 자신의 생각을 논리적으로 서술한 글을 평가하는 논·서술형 평가를 설계할 때 고려사항은 다음과 같다. 첫째, 학생들의 사고능력과 표현력을 제대로 평가하기 위해서 문제와 지문을 제작할 때 **학생들의 문해력**을 고려해야 한다. 둘째, 제한 시간 내에 문제와 지문을 읽고 답을 작성할 수 있도록 **평가 시간, 문항의 길이**를 고려해야 한다. 한편, 논·서술형 답안에 대해 채점할 때에는 분석적 채점방법과 총괄적 채점방법을 적용할 수 있는데, 각각의 장점은 다음과 같다. 첫째, 채점 요소를 세분화하는 **분석적 채점방법은 학생들의 강·약점을 판단하기 용이**하다. 둘째, 평가자가 글에 대해 종합적으로 판단하는 **총괄적 채점방법은 채점 시간이 단축되어 효율적**이다.

Chapter 05 교육연구방법론 155 ~ 158

| 본책 p.104 |

난도 ○○○○○

155 교육연구방법 ●●○○○

성공적 학급운영을 위해서 교실 내 학생들 간의 관계를 파악할 수 있어야 한다. A 교사의 의도대로 학생들의 사회성을 정확히 파악하고자 실시할 수 있는 연구방법으로는 **사회성 측정법**이 있다. 이는 집단 내에서 개인 간의 관계를 발견하고 설명하는 방법으로서 이를 실시할 때 유의점은 다음과 같다. 첫째, 관계의 특성상 지속적으로 변화할 수 있으므로 **한 번의 측정 결과가 고정적일 것이라는 편견을 버려야 한다**. 둘째, 측정 결과가 학생들의 심리, 교우관계 등에 의도하지 않은 영향을 미칠 수 있으므로 **측정 결과는 비공개해야 한다**.

156 교육연구방법 ●●●●○

학급 경영을 위해서 다양한 척도법을 통해 학습자들의 특성을 파악할 수 있어야 한다. A 교사는 교사의 이미지를 대비되는 형용사로 표현하고 이를 7점 척도로 측정하고자 했는데, 이를 '**의미분화척도**'라고 한다. 의미분화척도의 장점은 평가자의 주관적 느낌을 수치적으로 표현할 수 있다는 점을 들 수 있다. 이 척도 기법을 활용할 때 교사의 유의점으로는 첫째, 학습자가 설문조사를 이해하지 못하는 경우가 있을 수 있으므로 **설문조사 내용과 척도의 의미를 정확히 설명**해야 한다는 것과 둘째, 단어 선택에 따라 결과가 달라질 수 있으므로 **척도 길이와 단어 선택에 신중**을 기해야 한다는 것을 들 수 있다.

157 교육연구방법 ●●●○○

사회 현상에 관한 연구는 독립변인이 종속변인에 영향을 미친 정도인 내적 타당도가 높아야 한다. 제시문에서 내적 타당도를 확보하는 데 장애가 되는 요인 2가지는 다음과 같다. 첫째, **선발**이다. 이는 실험집단과 통제집단의 특성 차이를 의미하는데, A 연구원은 실험 참여를 희망한 학생을 실험집단으로, 특정 반 학생을 편의표집하여 통제집단으로 구성하였으므로 두 집단 간의 동질성을 확보하지 못했다. 둘째, **성숙**이다. 이는 시간의 경과에 따른 집단 특성의 변화이다. 두 번의 검사 간 간격은 10개월이며, 이 같이 비교적 긴 시간 속에서 A 연구원은 성숙요인을 충분히 고려하지 못했다. 두 요인을 통제할 수 있는 방안은 다음과 같다. 첫째, **무작위 배정**을 통해 실험집단과 통제집단을 구성하여 선발 요인이 내적 타당도에 미치는 영향을 최소화한다. 둘째, **검사 간 간격을 적정화**하여 자유학기 외 요소가 연구 결과에 미치는 영향을 최소화한다.

158 교육연구방법 ●●●○○

연구결과의 활용을 위해 타당도를 확보하는 것이 중요하다. A 교사는 연구의 일반화를 강조하는데, 이와 관련한 타당도의 명칭을 '**외적 타당도**'라고 한다. 외적 타당도의 확보를 위해 대표성 있는 표본을 선정하는 것이 중요한데, 표본의 대표성을 제고하기 위한 방안은 다음과 같다. 첫째, 모집단으로부터 **무작위**로 실험집단과 통제집단을 선정한다. 둘째, 일반화시키고자 하는 집단의 특성을 고려하여 **계획적으로 이질적인 요소를 포함**하여 집단을 구성한다.

최원휘 SELF 교육학
미라클모닝 300제
모범답안 해설

V

교육심리학

Chapter 02 학습자에 대한 이해 159~170

159 학습자의 지능 ●●●●●

지능에 관한 입장을 분석하면서 학습자를 이해할 수 있다. 드웩의 암묵적 지능이론에서는 지능의 유동성에 대한 개인의 신념에 따라 지능에 대한 관점을 증가적 관점과 고정적 관점으로 구분한다. B 학생과 같이 지능이 바뀔 수 있다고 믿는 **증가적 관점**을 가진 학생의 경우, 학습 실패가 있더라도 **실패의 원인을 노력으로 지목**하면서 학습에 더욱 매진한다. 반면, C 학생과 같이 지능이 변하지 않을 것이라고 믿는 **고정적 관점**을 가진 학생의 경우, **학습 실패의 원인을 능력으로 지목**하면서 학습에 대한 의욕이 급격히 감소한다. 따라서 지능에 대해 고정적 관점을 가진 학생을 증가적 관점으로 전환할 필요가 있는데, 이를 위한 방안은 다음과 같다. 첫째, C 학생에게 **노력으로 실패를 극복한 사례를 보여주어** 모델링을 통해 관점을 전환한다. 둘째, C 학생의 실패 원인이 노력이나 전략에 있음을 피드백하면서, **조금의 노력을 통해서도 달성할 수 있는 과제를 제시**해 노력을 통한 성공 경험을 느끼게 해준다.

160 학습자의 지능 ●○○○○

개별 맞춤형 교육의 실현을 위해 가드너의 다중지능이론을 활용할 수 있다. 가드너는 지능을 8가지 정도로 구분하는데, 이 이론에 따를 때 A 교사가 강조하는 지능은 다음과 같다. 첫째, 자신을 이해하는 지능은 **개인 내 지능**에 해당한다. 둘째, 타인을 이해하는 지능은 **대인관계지능**에 해당한다. 이러한 지능을 함양하기 위한 교수·학습활동은 다음과 같다. 첫째, 자신을 이해하고 통제하는 능력을 기르기 위해 **학업계획서 작성과 같은 활동**을 실시한다. 둘째, 타인을 이해하고 협력할 수 있도록 **협동학습**을 실시한다.

161 학습자의 지능 ●●○○○

지능을 다양하게 인식하면서 교실 내 교수·학습활동을 다양하게 변화시킬 수 있다. 지능을 분석적 지능(성분적 요소), 창의적 지능(경험적 요소), 실제적 지능(맥락적 요소)으로 구분하는 스턴버그의 삼원지능이론에 따를 때 각 교사가 강조하는 지능은 다음과 같다. 첫째, A 교사는 다양한 정보를 분석·평가·비교할 수 있는 능력을 강조하는데, 이러한 지능을 '**분석적 지능**'이라 한다. 둘째, B 교사는 스스로 환경을 변화시켜 나갈 수 있는 실제적 능력을 강조하는데, 이러한 지능을 '**실제적 지능**'이라 한다. 이러한 지능을 개발하기 위한 교수·학습활동은 다음과 같다. 첫째, 분석적 지능을 높이기 위해 **비교하기, 비평하기 등과 같은 활동**을 실시하여 개념 간 차이점 등을 분석한다. 둘째, 실제적 지능을 높이기 위해 **개념들을 상황에 적용하고 실제적 과제에 대한 해결점을 찾는 활동**을 실시한다.

162 학습자의 지능 ●●●○○

정의적 부분이 반영된 지능을 이해함으로써 학생의 전인적 발달을 도모할 수 있다. 정의적 부분과 관련한 지능으로는 감성지능이 대표적인데, '감성지능'이란 **정서를 정확하게 지각·평가·표현하는 능력**을 의미한다. 감성지능은 크게 자기 인식과 조절, 타인에 대한 감정이입, 대인관계기술 등을 포함하는데 이러한 감성지능을 함양하기 위한 구체적 방안은 다음과 같다. 첫째, **감정카드 활동**을 통해 자신의 감정을 정확히 이해하고 조절하도록 한다. 둘째, **역할극 수업**을 통해 타인의 입장을 이해하도록 한다. 셋째, **토의·토론 수업**을 통해 타인과 원만하게 소통하는 능력을 기른다.

163 학습자의 지능 ●●○○○

지능검사를 통해 학생들의 특성을 전문적으로 이해할 수 있다. A 교사는 지능검사가 사회·문화적 배경을 반영하지 못한다는 점을 지적하고 있는데, 이처럼 사회·문화적 요인에 따라 지능검사 결과가 달라지는 문제를 해결하기 위해 **SOMPA 검사**를 활용할 수 있다. 한편, 지능검사를 통해 얻은 결과를 학생과 학부모에게 안내할 때 유의점은 다음과 같다. 첫째, 의도치 않게 학생들은 서열화할 수 있으므로 해당 학생과 학부모 외에는 **검사 결과를 비공개**한다. 둘째, 검사 결과에 오해가 없도록 검사 목적, 검사 결과의 **의미에 관한 상세 설명이나 해석 자료를 함께 제시**한다. 셋째, 지능에 대한 고정관념이 형성되지 않도록 약점 영역에 대해서는 **약점을 보완할 수 있는 후속 활동을 함께 제시**한다.

164 학습자의 창의성 ●●○○○

창의성을 함양시키면서 학생을 미래사회에 필요한 인재로 성장시킬 수 있다. 이때 창의성의 요소는 다음과 같다. 첫째, **인지적 측면**에서 복잡한 문제를 해결할 수 있는 다양한 아이디어를 산출하는 **융통성**이다. 둘째, **정의적 측면**에서 새로운 문제에 직면했을 때 이를 적극적으로 극복하려는 의지인 **도전적·긍정적 태도**이다. 이러한 창의성을 함양하기 위한 교사의 실행 방안은 다음과 같다. 첫째, 학습자 준비를 위해 **창의적 수업 활동과 관련한 시청각 자료를 제시**하면서 문제에 관한 주의집중과 동기를 유발할 수 있다. 둘째, 창의적 사고를 유발하기 위해 과제를 부여하고 **일정 시간 생각할 기회를 제공**하여 창의적 사고가 배양될 수 있도록 한다.

165 학습자의 창의성 ●●●○○

미래사회에 필요한 인재를 육성하기 위해 창의성을 계발시켜야 한다. 창의성 계발을 위해 A 교사는 자유롭게 집단토의 과정을 거치는 브레인스토밍을 적용하고자 하는데, 이 기법의 구체적 실행 방안은 다음과 같다. 첫째, 최대한 많은 아이디어가 나올 수 있도록 **충분한 토의 시간을 부여**한다. 둘째, 학생들이 자유롭게 이야기할 수 있도록 **평가는 마지막에 하되, 비판적 평가는 최소화**한다. 한편, B 교사는 창의성 계발 외에도 다양한 교육적 효과를 유발하는 기법을 적용하고자 하는데, 이때 적용할 수 있는 창의성 향상 기법은 다음과 같다. 첫째, 각 색깔에 맞는 생각을 표출하면서 다양한 관점을 이해하기 위해서 **육색사고모자(six-hat) 기법**을 적용할 수 있다. 둘째, 유추를 통해 상상력을 발휘할 수 있도록 친숙한 것을 새롭게 창안하는 **시네틱스 기법**을 적용할 수 있다.

166 학습자의 자기주도성 ●●●●○

자기주도성이 높은 학생의 육성을 통해 2022 개정 교육과정의 목적을 달성할 수 있다. 학습의 전 과정을 자발적 의사에 따라 선택하고 설정하는 능력인 자기주도성이 높은 학생의 특징은 다음과 같다. 첫째, 목표 설정의 측면에서 **자신의 수준을 객관화하고 수준에 맞는 숙달목표를 설정**한다. 둘째, 학습 과정 측면에서 끊임없이 **자기평가를 진행하면서 학습 전략을 수정·보완**한다. 한편, 2022 개정 교육과정 총론에 근거할 때 자기주도 학습 능력을 함양하는 방법은 다음과 같다. 첫째, 학습과정을 점검할 수 있도록 **체크리스트와 같은 자기평가서를 제공**한다. 둘째, 여러 교과의 탐구방법을 스스로 익히고 학습할 수 있도록 **다양한 학습활동 예시를 제공**한다.

167 학습의 개인차 ●●○○○

학습자 맞춤형 교육을 위해 개인의 학습양식을 고려해야 한다. 위트킨은 학습양식을 주변 환경에 영향을 받는 '장의존형'과, 주변 환경에 영향을 크게 받지 않는 '장독립형'으로 구분한다. A 학생은 사회 과목을 좋아하고 타인의 시선을 많이 신경 쓰는 등 외적인 장에 영향을 많이 받으므로 **장의존형**에 해당한다. 장의존형 학생은 사회적 관계에 관심을 갖고 있다는 점에 기반할 때 A 학생의 학습을 촉진하기 위한 교사의 실행 방안은 다음과 같다. 첫째, 학생이 잘하는 것에 대해 아낌없는 칭찬을 해주는 등 **성취에 대해 외적 보상을 강화**한다. 둘째, 처음 수행하는 과제나 활동에 대해서 **교사가 시범을 보이거나 예시를 제시**해준다.

168 학습의 개인차 ●○○○○

학습자 맞춤형 교육을 위해 개인의 학습양식을 고려해야 한다. 콜브는 학습자가 사용하는 정보지각 방식과 정보처리 방식에 따라서 학습유형을 4가지로 구분한다. A 학생은 구체적 경험을 통해 정보를 지각하고 활동적인 실험을 통해 문제를 해결하는데, 이러한 학습유형을 '**조절형**'이라 한다. 따라서 A 학생에게는 다른 학생과 협동하면서 문제를 해결하는 **문제중심학습 활동**이 적합하다. 반면, B 학생은 추상적 개념화를 통해 지식을 습득하고 반성적 관찰을 통해 정보를 처리하는데, 이러한 학습유형을 '**동화형**'이라 한다. 따라서 B 학생에게는 혼자서 문제를 인식하고 해결방안을 모색하는 **개인 프로젝트 학습 또는 보고서 작성 활동**이 적합하다.

169 영재교육 ●○○○○

교육의 수월성 가치를 추구하기 위해 영재교육을 활성화할 수 있다. 영재아는 지능뿐 아니라 창의성과 학습 지속력이 높은데, 이러한 특성에 기반하여 영재아 판별 시 사용할 수 있는 기준은 다음과 같다. 첫째, 독창적인 아이디어를 창출하는 **창의성이 높은지 여부**, 둘째, 오랜 시간이 걸리는 **과제에 대한 집착력이 높은지 여부**이다. 제시문의 A 교육청은 영재아의 교육을 위해 월반제와 같은 속진제를 실시하고자 한다. 속진제의 장점으로는 영재아에게 비효율적일 수 있는 초급 단계의 학습을 뛰어넘을 수 있게 하여 **시간과 비용상 효율적·경제적**이라는 점을 들 수 있다. 하지만 속도전에 매몰되다 보면 결과 중심의 수업으로 이어지고, 이로 인해 창의성의 원동력이 될 수 있는 **다양한 학습경험을 하는 데 한계**가 발생할 수 있다.

170 특수교육 ●●●○○

특수한 학습자를 이해하고 이에 맞는 교육적 지도를 하면서 모든 학생들을 위한 맞춤형 교육을 실천할 수 있다. A 교사의 학급에는 현재 주의력결핍-과잉행동장애로 생각되는 학생이 있는데, 이를 판별·안내할 때 유의점은 다음과 같다. 첫째, **판별** 시 학생의 행동에는 다양한 요인이 작용할 수 있으므로 **의학적 진단 없이 교사 개인의 경험만으로 단정짓지 말아야 한다**. 둘째, **안내** 시에는 학생이나 학부모의 자존감 손상이나 정서적 위축을 초래하지 않도록 전문적 평가 결과와 함께 **학교 내·외적으로 도움을 받을 수 있는 부분을 정확히 제시**한다. 한편, 이러한 학생을 지도하기 위한 교실 내 실천 방안은 다음과 같다. 첫째, 주의집중에 어려움을 겪는 학생은 **교사와 가까운 앞자리에 배치하여 시선을 분산시키는 자극을 최소화**한다. 둘째, 수업 중 움직임이 필요한 학생에게는 칠판 닦기 등 교실이라는 **제한된 공간 내에서 허용 가능한 활동을 미션으로 제시**하고, 미션 달성 시 즉각적인 **칭찬이나 보상을 통해 긍정적 행동을 강화**한다.

Chapter 03 학습자의 동기 171 ~ 180

171 동기의 기초 ●●○○○

학습자의 학습 동기를 유발하면서 배움에 집중하는 교실을 조성할 수 있다. 학습 동기는 학습자가 학습하게 하는 내적 에너지로, 다음의 교육적 기능을 갖는다. 첫째, **발생적 기능**이다. 학습 동기는 학습 자료에 대한 흥미를 유발하고 성취하고자 하는 도전 욕구를 불러일으킨다. 둘째, **강화 기능**이다. 학습 동기는 어려운 문제에 봉착하더라도 쉽게 포기하지 않고 학습을 지속시킬 수 있는 끈기를 불러일으킨다. 한편, A 교사는 배움 중심의 교실을 위해 학습 그 자체가 보상이 되는 내재적 동기의 유발을 강조한다. 이때 내재적 동기를 유발하기 위한 교실 내 실천 방안은 다음과 같다. 첫째, **수준에 맞는 과제를 제공하여 학생들이 성취감**을 느끼게 한다. 둘째, **학생들이 자율적으로 과제를 선택하거나 역할을 정하도록 하여 자율성**을 보장한다.

172 인본주의 동기이론 ●●○○○

학습자들의 욕구를 단계적으로 충족시키면서 자아실현과 관련한 학습 동기를 유발할 수 있다. 매슬로우의 욕구위계이론에 따를 때 ○○교육청의 정책을 통해 충족시키고자 하는 욕구는 다음과 같다. 첫째, 점심 시간 이후 낮잠시간을 편성하는 정책은 학생들의 생존에 필요한 수면권을 보장함으로써 **생존의 욕구**를 충족시킬 수 있다. 둘째, 학교폭력 관련 조례와 핫라인 구축은 신체에 대한 위험으로부터 학생들을 보호해주는 것으로, **안전의 욕구**를 충족시킬 수 있다. 한편, ○○교육청 교육감은 교육을 통해 성취감·자율성과 같은 존경 욕구를 충족시킬 것을 강조하고 있는데, 이를 위한 교실 수업 방안은 다음과 같다. 첫째, 포트폴리오 제작 활동을 통해 학생들의 성취를 누적 관리하고 **외적 보상을 제공함으로써 학생들이 성취감**을 느끼도록 한다. 둘째, 프로젝트 수업 등을 통해 학생들이 프로젝트 주제에 대해 스스로 **선택하고 활동하게 함으로써 자율성**을 느끼도록 한다.

173 인지주의 동기이론 ●○○○○

학생들의 심리 분석에 따른 맞춤형 지도를 통해 학생들의 학업성취 수준을 높일 수 있다. A는 낮은 수학 성적에 대해 "내 머리는 수학과 안 맞아서"라고 하는 등 능력에 귀인하고 있다. 귀인이론에 따르면 능력은 **실패원인의 소재가 학습자의 내부**에 있으며, **통제가 불가능**하고, **안정적**이라는 특징을 가진다. 이처럼 실패의 원인을 능력으로 귀인하는 학생의 학습 동기 유발을 위한 지도 방안은 다음과 같다. 첫째, **노력 귀인 전략**을 들 수 있다. 다른 친구의 사례를 보여주면서 노력이 충분했는지를 점검하도록 한다. 둘째, **전략 귀인 전략**이다. 충분한 노력을 했음에도 실패했다고 여겨지는 경우, 수학 공부를 위한 전략에 문제가 없었는지 살피고 이에 대해 피드백을 해줌으로써 높은 학업성취를 도모할 수 있다.

174 인지주의 동기이론 ●●○○○

학생들의 자아효능감을 높임으로써 자율권을 보장하는 교육의 효과성을 높일 수 있다. 자아효능감이 높은 학생이 학습 과정 중에 보이는 태도는 다음과 같다. 첫째, 자신의 능력에 대한 믿음을 바탕으로 **호기심과 적극성을 보이면서 도전적인 목표를 선택**한다. 둘째, 다소 불만족스러운 평가가 나오더라도 좌절하지 않고 **긍정적인 태도를 바탕으로 자신의 전략을 수정·보완**한다. 따라서 자아효능감을 높이는 것이 중요한데, 자아효능감을 높이기 위한 교사의 실행 방안은 다음과 같다. 첫째, **학습자 수준에 맞는 과제를 제시**하여 성공 경험을 쌓도록 하고 이를 바탕으로 자아효능감을 높일 수 있다. 둘째, 학습자와 능력·성격 등이 유사한 타인 중 **과제 수행에 성공한 타인을 제시하여 이를 모방**하게 함으로써 자아효능감을 높일 수 있다.

175 인지주의 동기이론 ●○○○○

협동적 교수학습 활동을 통해 학습 동기를 유발하고 2022 개정 교육과정의 비전을 실천할 수 있다. 자기결정성 이론은 학습자의 유능성·관계성·자율성 욕구가 충족되는 경우 학습 동기가 유발된다고 보는데, 지문의 학생들이 결핍되어 있을 것이라 예상되는 욕구는 다음과 같다. 첫째, 부모님이 시키는 대로 학원 다니기에 급급하여 **자율성 욕구**가 충족되지 못하고 있다. 둘째, 수준을 고려하지 않은 과도한 선행학습으로 실패를 자주 경험하여 **유능성 욕구**가 충족되지 못하고 있다. 이러한 욕구를 충족시키기 위한 협동적 교수학습 활동은 다음과 같다. 첫째, **모둠별 활동에서 자율적으로 과제를 선정하고 역할을 부여**하는 과정을 통해 자율성 욕구를 충족시킬 수 있다. 둘째, **모둠별 프로젝트 학습을 실시하여 결과물의 장점을 공유**하는 과정을 거치면서 유능성 욕구를 충족시킬 수 있다.

176 인지주의 동기이론 ●●●●○

학생의 동기 상태에 맞는 보상을 통해 학습자의 내재적 동기를 유발할 수 있다. 동기 상태를 분석하는 유기체적 통합이론에 따를 때, 부과된 규제와 확인된 규제 상태에 있는 학생이 공부를 하는 이유는 다음과 같다. 첫째, **부과된 규제** 상태에서는 수치심을 피하기 위해 동기가 유발되므로, 공부를 하는 이유는 **공부를 하지 않는 것에 대한 죄책감을 덜 수 있기 때문**이라고 할 수 있다. 둘째, **확인된 규제** 상태에서는 행동의 가치를 인식하므로, 공부를 하는 이유는 공부를 함으로써 **원하는 대학이나 직업을 가질 수 있기 때문**이라고 할 수 있다. 한편, 학생의 동기 유발을 위해 교사는 정보적 측면의 보상과 통제적 측면의 보상을 실시할 수 있는데, 구체적 보상의 예시는 다음과 같다. 첫째, **정보적 측면의 보상**의 경우 교사가 높은 학업 성취에 대해 **학생들의 노력과 전략에 귀인**하는 것을 예로 들 수 있다. 둘째, **통제적 측면의 보상**의 경우 교사가 높은 학업 성취에 대해 **정해진 규칙에 근거하여 선물을 제공**하는 것을 예로 들 수 있다.

177 인지주의 동기이론 ●●●○○

학습자의 심리분석을 바탕으로 올바른 학습 목표 설정에 조력할 수 있다. 목표지향성이론에 따를 때 A는 타인과 비교하여 무능하게 보이는 것을 우려하면서 무시받지 않을 정도의 목표인 수행회피 목표를 설정하고 있는데, 이러한 목표유형이 학습에 미치는 악영향은 다음과 같다. 첫째, 틀리는 것에 두려움을 유발해 **도전적이고 혁신적인 과제를 학습하는 데 소극적인 태도**를 보이게 한다. 둘째, 외부의 피드백에 수치심을 유발해 발전적인 **도움에 대해서도 수용도를 낮추고 성장지향적 사고를 방해**한다. 이에 B 교사는 A가 자기 자신을 위한 목표인 숙달목표를 갖도록 지도하고자 하는데, 이를 위해 실시할 수 있는 구체적 지도방안은 다음과 같다. 첫째, **수준에 맞는 과제를 제시하여 성공경험**을 느끼게 하고 **도전적인 과제를 설정했을 때 칭찬과 같은 강화물을 제공**한다. 둘째, 타인과의 지나친 비교에서 벗어날 수 있도록 스스로 **학습목표를 설정하고 점검할 수 있게 하는 체크리스트를 제공**한다.

178 인지주의 동기이론 ●●●●○

학생별 특성에 맞는 교수전략을 통해 맞춤형 성장을 도모할 수 있다. 과제를 성공적으로 수행하려는 욕구인 성취동기를 유발하기 위한 학생별 교수전략은 다음과 같다. 첫째, B는 실패하더라도 성취동기가 증가하는 **성공 추구 학습자이므로 적당히 도전적인 과제를 제시하고, 실패할 경우 노력이나 전략과 관련한 피드백을 제공해 성취욕을 자극**한다. 둘째, C는 변명을 통해 실패를 회피하려는 **실패회피 학습자**로, 이러한 학습자는 **외적 보상에 민감하므로 성공에 대해 지속적으로 강화하고, 새로운 과제에 도전하는 경우 더 큰 보상과 칭찬**을 해준다. 셋째, D는 학습된 무기력을 지닌 **실패 수용 학습자**이므로 **학급에서 수행할 수 있는 사소한 역할을 부여하고, 이를 이행했을 때 칭찬**해줌으로써 작은 성공부터 경험하게 해준다.

179 인지주의 동기이론 ●●○○○

기대가치이론에서는 과제를 성공적으로 수행할 수 있다는 믿음인 기대와 행동의 결과물에서 찾을 수 있는 가치에 따라 행동의 정도가 달라진다고 본다. 이 이론에 근거하여 한국 학생들의 수학 과목에 대한 학습동기가 낮은 이유를 설명하면 다음과 같다. 첫째, **자신이 수학을 잘하는지에 대해 확신이 없어서 성공에 대한 기대가 낮기 때문이다.** 둘째, **수학 과목에서 배운 내용을 다른 곳에 활용하려는 인식이 낮아 수학에 대한 내재적 가치 또한 낮기 때문이다.** 이런 상황에서 수학 과목의 학습동기를 높이기 위한 학습과제 구성방안은 다음과 같다. 첫째, **학습자 수준에 맞는 적정한 난이도의 과제를 제시**하여 성공 경험을 통해 기대감을 느끼게 한다. 둘째, **현실 생활에 도움이 되는 수학적 내용을 알려주고 이를 적용할 수 있는 기회를 주어 과제의 가치를 인식**하게 한다.

180 인지주의 동기이론 ●●●○○

학생들의 학습동기를 유발하기 위해 TARGET 원리를 적용할 수 있다. A 교사가 사용할 수 있는 학습동기 촉진방안은 다음과 같다. 첫째, **학습자 수준을 고려하면서 도전적인 과제를 제시**하여 과제 수행 욕구를 자극한다. 둘째, **타 학생과 협력해서 학습 문제를 해결할 수 있는 협동학습**을 통해 학습에 대한 흥미를 불러일으킨다. 셋째, **학습에 필요한 충분한 시간을 제공**하여 과제수행에 대한 부담감을 줄여준다.

Chapter 04 학습자의 발달 181~190

181 발달에 대한 이해 ●●●○○

학생을 둘러싼 종합적 요인을 분석함으로써 학생의 전인적 발달을 이끌 수 있다. 생태이론에 근거할 때 (가)는 학생에게 직접적으로 영향을 미치는 **미시체계로서 가정환경, 또래환경, 학교환경**을 예로 들 수 있다. (나)는 학생과 직접적으로 접촉하지는 않지만 학생에게 간접적으로 영향을 미치는 **거시체계로서 부모의 직장, 법 기관, 이웃** 등을 예로 들 수 있다. 한편, 시간체계는 학생들이 성장의 과정에서 경험하는 사건으로, **학생과의 상담**을 통해 학생이 경험한 사건의 종류와 그로 인한 변화·인식 등을 살펴볼 수 있다.

182 인지적 영역의 발달 ●●●●○

발달이 학습에 선행한다고 보면서 아동의 발달에 있어서 사회적 환경의 소극적 역할을 강조한 이론을 '피아제의 인지발달이론'이라고 한다. 이 이론에 근거할 때 인지발달이 나타나게 된 과정은 다음과 같다. **새로운 환경과 기존의 인지구조가 일치하지 않는 불평형의 상태가 나타나면, 학습자는 동화와 조절이라는 적응의 과정을 통해 이를 평형화시킨다. 이후 일관성 있는 체계를 형성하도록 더 높은 수준의 체계로 통합하는 조직의 과정에서 발달**이 나타난다. 이러한 인지발달을 위한 교사의 역할은 학생들의 기존 인지구조를 불평형 상태에 놓이게 하는 **대립전략**을 제시하는 것이다. 한편, 피아제는 조작의 발달 정도에 따라 인지발달 단계를 구분하면서 가장 상위의 단계로 형식적 조작기를 제시한다. 형식적 조작기 단계에서 보이는 사고의 양태는 다음과 같다. 첫째, **추상적 사고**이다. 이 단계에서는 눈에 보이지 않는 추상적인 개념뿐 아니라 추상적인 관련성을 이해한다. 둘째, **가설연역적 추리**이다. 이 단계에서는 현상에 대해 여러 가설을 세우고 이를 검증하는 자료를 수집하여 문제 해결에 도달한다.

183 인지적 영역의 발달 ●●●○○

비고츠키는 타인과의 사회적 관계 속에서 상호작용을 통해 인지발달이 나타난다고 본다. 따라서 협동학습의 장점으로는 **학습자 혼자서는 문제를 해결할 수 없지만, 성인의 안내 또는 친구와의 협동을 통해 문제를 성공적으로 해결할 수 있는 영역인 근접발달영역(ZPD) 내의 학습내용을 학습**할 수 있다는 것을 들 수 있다. 이때 교사는 ZPD 학습을 위해서 비계를 설정할 수 있는데, 구체적인 방법은 다음과 같다. 첫째, **모델링**이다. 교사가 직접 효율적인 과제 수행 모습을 보여주거나 문제에 내포된 의미를 설명한다. 둘째, **소리 내어 생각하기**이다. 학생이 과제를 수행하는 과정 속에서 자신의 생각을 말로 표현하는 과정을 거치도록 한다. 셋째, **길잡이와 힌트**를 제공하는 것이다. 학생에게 학습하는 방법에 관해서 알려주거나 과제 수행과정에서 필요한 힌트를 제공한다.

184 성격 발달 ●●●●●

발달 단계에 맞는 지도를 통해 학생의 원만한 성격 형성을 도울 수 있다. 중학생인 A는 정신적 혼란을 겪으면서 이전에 경험한 심리사회적 위기를 반복해 경험하고 있는데, 에릭슨은 이처럼 정신적 혼란을 경험하는 발달 단계를 '**정체감 대 역할혼미 단계**'라고 한다. 이 단계에서는 학생이 반복되는 심리사회적 위기를 극복하도록 돕는 것이 필요한데, 모델링 외에 실시할 수 있는 방안은 다음과 같다. 첫째, 자율성과 관련한 심리사회적 위기를 극복하도록 돕기 위해 **학습 주제나 과제 제출 방식 등에 대한 학습선택권을 부여**한다. 둘째, 주도성과 관련한 심리사회적 위기를 극복하도록 돕기 위해 **자기 학업계획서를 작성하게 하고 자기평가 체크리스트를 제공**한다. 셋째, 근면성과 관련한 심리사회적 위기를 극복하도록 돕기 위해 **수준에 맞는 과제를 제공하여 성공을 경험**하게 한다.

185 성격 발달 ●●●○○

정체성 발달 지원을 통해 학생의 전인적 발달을 촉진할 수 있다. 마샤의 정체성 지위 이론에 따를 때 B는 진로에 대해 고민을 하지 않고 주도적으로 무엇인가에 전념하지도 않으므로 **정체성 혼미** 상태라고 할 수 있다. 이런 상태에 대해 마샤는 정체성 형성을 위해 전념과 위기 경험을 강조한다. B의 정체성을 확립시키기 위한 교사의 실행 방안은 다음과 같다. 첫째, B가 과업에 전념할 수 있도록 **각 분야에 전념하여 성공한 사례를 제시함으로써 전념할 동기를 유발**한다. 둘째, B가 위기를 경험하도록 학생 자기 평가를 통해 자신이 가진 장·단점을 분석하게 하고, **학업계획서를 작성하게 하여 앞으로 해야 할 일에 대해 고민**하게 한다.

186 사회성 발달 ●●●●●

사회성 발달 수준을 분석하고 맞춤형 교수·학습 활동을 통해 포용성을 갖춘 인재를 육성할 수 있다. 셀만의 이론에 따를 때 B 학생의 경우 갈등 상황에서 타인의 관점을 이해하기는 하지만, 자신과 타인의 관점을 조율하거나 제3자의 시각에서 갈등 상황을 조망하지 못한다는 점에서 **자기반성적 조망 수용 단계**라고 할 수 있다. 이 단계의 학생들을 상호적 조망 수용 단계로 발달 수준을 높이기 위한 구체적 교수·학습 활동은 다음과 같다. 첫째, 갈등 상황극을 제시하여, 당사자가 아닌 갈등 중재자의 입장에서 당사자를 설득하는 **활동**을 수행한다. 둘째, 사회적 딜레마 상황에 대해 토론을 실시하고 토론에서 나온 **의견을 종합할 수 있는 최선의 대안을 마련하는 글쓰기 활동**을 수행한다.

187 사회성 발달 ●●●●○○

교수·학습활동을 다변화시키면서 학생의 사회정서 발달을 지원할 수 있다. 지문은 또래와의 관계가 사회정서 발달에 영향을 미친다고 보는데, 해당 요인 외에 학생의 사회정서 발달에 영향을 미치는 학교 내 요인으로는 **교사와의 관계**를 들 수 있다. 즉, 교실 내 교수·학습활동 시 발생하는 교사-학생의 관계를 통해 학생의 사회정서가 발달할 수 있다. 또한 학생의 사회정서는 학생 자신에 대한 이해, 타인에 대한 이해, 사회규범에 대한 이해를 바탕으로 발달할 수 있는데, 학생의 사회정서를 발달시키기 위한 구체적 교수·학습활동은 다음과 같다. 첫째, 자신의 감정과 생각 등을 스스로 이해할 수 있도록 **감정일지·감정카드를 작성**하게 한다. 둘째, 타인의 관점에 공감하고 감정이입하는 등 타인을 이해할 수 있도록 **역할놀이 수업**을 진행한다. 셋째, 규칙 준수의 필요성 등 사회 규범을 이해할 수 있도록 **또래법정, 학급 내 규칙 만들기와 같은 활동**을 실시한다.

188 도덕성 발달 ●●●●○

학생의 도덕성 발달 수준을 이해함으로써 사회에 부합하는 도덕적 인재를 육성할 수 있다. 피아제는 아동이 성장함에 따라 규칙을 이해하는 방식의 변화를 3단계로 구분하면서, 가장 상위 단계로 자율성과 도덕적 상대주의를 제시한다. 이 단계에서는 규칙은 사람에 의해 만들어진 것이므로 **타인과의 상호작용을 통해 수정 가능하다는 상대주의적 관점**을 따르며, 행동의 결과가 아닌 행동의 의도로 선악을 판단한다. 따라서 이 관점에 근거하면 실수로 창문 2개를 깨뜨린 A에 비해 고의로 규칙을 어긴 행동을 하다가 창문 1개를 깨뜨린 **B가 더욱 악한 행동**을 했다고 평가할 수 있다. 한편, 도덕성 발달을 위해서 담임 교사는 학생들이 규칙의 상대주의적 관점을 가질 수 있도록 **학급 내 규칙을 학생 스스로 마련하고, 주기적으로 규칙의 개선점을 찾고 개정해보는 학급 회의**를 실시할 수 있다.

189 도덕성 발달 ●●○○○

학생의 도덕성 발달 수준에 맞는 교육을 통해 학습자 맞춤형 교육을 실현할 수 있다. 콜버그의 도덕성 발달이론에서 **3단계는 착한 아이를 지향**하는 단계로, 이 단계의 학생은 제시문과 같은 상황에서 **아이를 살리는 행위가 타인으로부터 칭찬을 받을 것이기 때문에 운전을 해야 한다**고 말한다. **4단계는 사회 질서와 권위를 지향**하는 단계로, 이 단계의 학생은 제시문과 같은 상황에서 **음주운전과 신호위반은 절대적인 법과 질서를 준수하지 못하는 행위이므로 운전을 하지 않는다**고 말한다. 이 이론이 도덕성 교육에 주는 시사점 2가지는 다음과 같다. 첫째, 이 이론은 딜레마 상황에 대해 토론하게 하는데, 이는 지식중심의 도덕성 교육에서 벗어나 **토론식 도덕 교육의 근거**가 된다. 둘째, 이 이론은 학습자별로 **도덕성 발달 단계를 점검하게 하여, 이에 맞는 도덕성 교육을 실시할 수 있는 이론적 기반**이 된다.

190 도덕성 발달 ●●●●○○

콜버그의 도덕성 발달이론은 단계별 도덕성 발달 수준을 제시했다는 의의가 있지만, 길리건은 이를 남성중심의 구분이라고 비판한다. 소년은 어려서부터 독립적·추상적 사고 위주의 교육을 받고 소녀는 양육자로서의 성장을 강조하는 교육을 받으므로, 남녀는 서로 다른 유형의 도덕적 추론을 할 수밖에 없는데, 이를 고려하지 않은 **콜버그의 이론은 성 차별적**이라는 것이다. 길리건은 이에 대한 대안으로 배려의 윤리를 제시하고 도덕성 발달 단계를 3단계 2전환기로 구분한다. 이때 도덕성 발달을 위한 2가지 방안은 다음과 같다. 첫째, 이기심을 책임감으로 전환시켜주기 위해 **또래 상담 등을 통해 타인과의 애착관계를 형성**시킨다. 둘째, 선에서 진실로 전환시켜주기 위해 **사회문제에 관한 토론활동 등을 통해 보편적 도덕 원리를 학습**시킨다.

Chapter 05 교수학습의 이해 191 ~ 204

191 행동주의 학습이론 ●●●●●

학생의 불안을 해소하면서 학생의 전인적 성장을 도울 수 있다. 제시문의 A는 발표할 때마다 극심한 불안을 경험하고 있다. 사회인지이론에 근거하면 이러한 불안의 원인은 자신이 발표를 성공적으로 이끌 능력이 있다는 믿음, 즉 **자아효능감의 부족**이라고 할 수 있다. 이러한 불안을 해소할 수 있는 방안은 다음과 같다. 첫째, **고전적 조건형성이론**에 근거할 때, 발표를 게임이나 이야기 형식 등 **학생들이 좋아할 만한 상황으로 새롭게 조건화**한다. 둘째, **조작적 조건형성이론**에 근거할 때, **A가 발표한 후에 칭찬 스티커나 간식을 제공하는 등 긍정적 강화물을 제공**하여 발표 불안을 제거한다.

192 행동주의 학습이론 ●●●○○

강화 효과를 극대화하기 위해 강화원리와 강화계획을 적절히 적용할 필요가 있다. B 교사는 좋아하는 행동을 좋아하지 않는 행동의 강화물로 사용하는데, 이와 같은 강화의 원리를 '**프리맥의 원리**'라고 한다. 이 원리를 적용할 때 유의점은 좋아하는 행동은 학습자의 성장 등에 의해 수시로 변화할 수 있으므로 좋아하는 행동이 변화하면 강화물 역시 변경해야 한다는 것이다. 한편, C 교사는 학생의 반응률을 높이고자 하는데, 이때 실시할 수 있는 강화계획으로는 **변동비율 강화계획**이 있다. 예를 들어, **질문을 3번 했을 때 호기심 스티커를 주다가, 이후에는 질문을 5번 했을 때 호기심 스티커를 주는 등 강화물의 제공 횟수를 변화**시키면서 학생의 반응률을 높일 수 있다.

193 행동주의 학습이론 ●○○○○

처벌의 올바른 사용을 통해 학생의 올바른 성장을 도모할 수 있다. 바람직하지 않은 행동을 감소시키려는 처벌이 필요한 상황은 다음과 같다. 첫째, **수업 중 이상 행동을 하면서 다른 학생의 학습권을 침해하는 경우** 다수의 학생을 위해 처벌을 사용한다. 둘째, **공식적인 학교 규칙을 위반하는 경우** 교내 안정을 도모하고 추후 재발 방지를 위해 처벌을 사용한다. 다만, 처벌은 학생들에게 심리적 스트레스와 같은 부정적 효과를 줄 수 있으므로 다음의 사항을 유의해야 한다. 첫째, 처벌의 수용도를 높이기 위해 **바람직하지 않은 행동이 발생한 직후에 처벌**을 하여야 한다. 둘째, 처벌의 교육적 효과를 극대화하기 위해 **처벌과 동시에 바람직하지 않은 행동을 대체할 대안을 제시**해야 한다.

194 행동주의 학습이론 ●●●●○

조작적 조건화를 통해 학생의 행동을 바람직하게 변화시킬 수 있다. 행동 변화를 위한 방법으로 조형과 소거가 있는데, **'조형'이란 학습자의 행동을 단계적으로 분화하여 강화를 통해 차근차근 목표 행동에 도달하게 하는 방법**을 의미한다. '소거'란 형성된 자극-반응의 조건화에 대하여 강화를 제공하지 않으면서 **강화된 행동을 제거하는 것**을 의미한다. 이를 활용하여 C의 태도를 바꿀 수 있는 방법은 다음과 같다. 첫째, 조형의 방법을 사용할 경우 먼저 **C가 숙제를 위한 시간계획을 수립하면 강화물을 제공**한다. 이후 **C가 계획에 따른 행동을 할 때 강화물을 차근차근 제공**하면서 시간 내에 숙제를 제출하는 습관을 기르게 한다. 둘째, 소거의 방법을 사용하는 경우, 먼저 **C가 산만한 행동을 할 때마다 매번 응답을 해주면서 C의 산만한 행동과 교사의 반응을 조건화**한다. 이후 C가 산만한 행동을 하더라도 교사가 **무응답**하면 산만한 행동이 소거될 수 있다.

195 행동주의 학습이론 ●●●●●

적절한 보상을 통해 학습 동기를 유발할 수 있다. 제시문의 A는 수학 학습에 대한 동기가 낮아지고 있는데, 이러한 이유를 과정당화 가설에 근거하여 설명하면 다음과 같다. **과정당화 가설에서는 보상이 자율성을 제약하는 것으로 인식되면 내재적 동기를 약화**시킨다고 본다. A의 경우 **어려서부터 어려운 수학 문제 풀이에 내재적 동기가 있었지만, 선생님이 칭찬 스티커를 제공하자 자율성이 침해되었다고 인식**하였고 이로 인해 동기가 약해지게 되었다. 이러한 상황에서 학교에서 보상을 제시할 때는 다음의 사항을 유의해야 한다. 첫째, 보상이 학생의 자율성을 침해하지 않도록 통제적 측면의 보상보다는 **학습자의 노력과 전략을 강조하는 정보적 측면의 보상을 활용**한다. 둘째, 보상이 없을 때는 학습을 하지 않는 학습의 지속성 저하가 나타날 수 있으므로 **완전 강화보다는 부분 강화를 활용**한다.

196 행동주의 학습이론 ●○○○○

행동에 대한 직접적인 강화 없이도 대리강화를 통해 행동을 변화시킬 수 있다. 교육 현장에서 대리강화가 효과적인 이유는 다음과 같다. 첫째, 일대다의 교육 현장에서 제한된 시간 내에 **모든 학생들의 행동을 직접적으로 강화하는 것은 현실적으로 곤란하기 때문**이다. 둘째, 모델에 주의집중하고 파지하는 과정을 통해 **단순 행동 교정이 아니라 인지를 통한 행동의 변화를 촉진할 수 있기 때문**이다. 이러한 대리강화의 효과를 극대화하기 위해서는 모방을 촉진하는 모델을 제시해야 한다. 이때 모델을 제시하는 전략은 다음과 같다. 첫째, 학습자와 모델 간의 유사점이 높을수록 모방이 촉진되므로, **다수의 학생과 공통된 특성을 지닌 모델을 제시**한다. 둘째, 모델이 높은 능력과 지위를 가지면 모방이 촉진되므로 다수의 학생이 **믿고 따를 수 있는 위인의 사례를 제시**한다.

197 인지주의 학습이론 ●○○○○

학습 효과를 극대화하기 위해 적절한 수업전략을 실시할 수 있다. A 교사는 학생들의 주의집중도를 높이고자 하는데, 이를 위한 방법은 다음과 같다. 첫째, 해당 차시에서 배울 내용을 **수업 도입부에 간단하게 요약해서 제시하고, 본격적인 설명 전에 이를 다시 한 번 강조**하여 일종의 칵테일파티 효과를 유도한다. 둘째, 중요한 내용을 설명하기 전에 **박수를 치거나 칠판을 두드리는 등의 물리적 행위**를 통해 학생들의 주의집중을 유도한다. 한편, A 교사가 작업 기억 용량의 한계를 극복하기 위해 활용할 수 있는 방법은 다음과 같다. 첫째, **청킹**이다. 학생들이 서로 관련된 여러 자극을 하나의 정보 또는 묶음으로 인식하게 하면서 기억에 대한 부담감을 줄인다. 둘째, **이중부호화**이다. 언어설명과 시각적 정보를 연계시켜 파지를 돕는다.

198 인지주의 학습이론 ●○○○○

심리학적 접근을 통해 학습내용의 정확한 파지를 유도할 수 있다. A는 수업에 열심히 참여하지만 학습 내용의 파지가 정확히 일어나지 않고 있는데, 이러한 파지를 돕기 위해 부호화 전략을 사용할 수 있다. 이를 적용한 구체적 예시는 다음과 같다. 첫째, **정교화 전략**이다. 이는 학습자의 사전 경험에 근거하여 새로운 정보를 장기기억에 저장된 정보와 연결시키는 전략으로, **사회 시간에 헌법의 중요성에 대해 A가 이전에 경험했던 일상생활에서의 규칙과 연결하여 설명하는 것**을 예로 들 수 있다. 둘째, **조직화 전략**이다. 이는 공통 범주나 유형을 기준으로 하여 새로운 정보를 장기기억에 저장된 정보와 연결시키는 전략으로, **과학 시간에 식물에 대해서 가르칠 때 세포, 조직, 기관, 개체 등으로 도식화하는 것**을 예로 들 수 있다. 셋째, **심상화 전략**이다. 이는 새로운 정보를 학생 마음속에 그림으로 만들어 기억을 촉진하는 전략으로, **영어 시간에 environment라는 단어를 가르칠 때 단어 의미에 맞는 이미지를 그려보게 하는 것**을 예로 들 수 있다.

199 인지주의 학습이론 ●●○○○

학습한 내용의 인출을 촉진함으로써 학습내용의 활용을 강화할 수 있다. A처럼 기억한 내용이 어렴풋이 생각만 나고 정확하게 기억이 나지 않는 현상을 '**설단현상**'이라고 한다. 설단현상을 방지하고 인출을 돕기 위한 교수·학습 활동은 다음과 같다. 첫째, 퀴즈와 같은 형성평가를 통해 **반복된 인출 연습**을 진행한다. 둘째, 학습했던 상황과 유사한 상황을 만들어주거나 상황의 묘사를 통해 **인출에 편한 환경을 조성**한다. 셋째, 인출하고자 하는 개념과 유사한 개념 등을 제시해 **인출의 단서를 제공**한다.

200 인지주의 학습이론 ●●○○○

메타인지의 활성화를 통해 학생을 자기주도적 인재로 성장시킬 수 있다. 자신의 학습 과정을 계획, 점검, 조절, 평가하는 정신작용인 메타인지가 높은 학생의 특징은 다음과 같다. 첫째, **목표 설정 측면**에서 메타인지가 높은 학생들은 남들의 시선보다는 자신이 학습하고 싶은 **숙달목표를 설정**한다. 둘째, 성공과 실패에 대해 메타인지가 높은 학생들은 **노력이나 전략에 귀인**하여, 실패하더라도 자아에 대한 손상이 적다. 이러한 메타인지의 활용을 촉진하기 위한 학습자 참여 중심의 학습활동은 다음과 같다. 첫째, 학생이 스스로 학습 목표와 방법을 설정할 수 있도록 **학업계획서 작성 활동**을 실시한다. 둘째, 학생이 학습과정을 스스로 점검할 수 있도록 **자기평가**를 실시한다.

201 인지주의 학습이론 ●●○○○

망각 발생을 최소화하면서 학습 효과를 높일 수 있다. 망각은 학습 내용을 일시적 또는 영속적으로 떠올리지 못하는 것을 의미한다. A는 1번 문제를 풀 때 지난 시간에 쉽게 이해했던 내용을 잊었는데, 이처럼 시간이 지남에 따라 기억이 사라지는 것을 '**쇠퇴**'라고 한다. 또한 A는 2번 문제를 풀 때 이전에 배운 내용이 새로운 정보의 기억을 방해하였는데, 이를 '**(순행)간섭**'이라고 한다. 이러한 망각을 방지하기 위한 교수·학습 전략은 다음과 같다. 첫째, 쇠퇴를 방지하기 위해 **지속적으로 반복하여 암송하는 등 복습**을 하게 한다. 둘째, 간섭을 방지하기 위해 이전의 정보와 새로운 정보가 유사한 경우 **차이점을 강조**한다.

202 인지주의 학습이론 ●○○○○

학습의 전이를 촉진하면서 배움과 삶을 일치시킬 수 있다. '전이'란 선행학습이 새로운 학습에 영향을 미치는 것 또는 새로운 학습을 다른 상황에 적용하는 것을 의미한다. 전이에 영향을 미치는 요인은 다음과 같다. 첫째, **선행학습에 대한 이해력 등 선행학습 수준**이다. 선행학습의 수준이 높으면 이전에 배운 내용과 새로운 학습 간 연결이 촉진된다. 둘째, **새로운 학습과 상황 간 연관성**이다. 상황이 학습 정보를 적용하기 용이한 상황이면 전이가 촉진된다. 이를 고려했을 때 전이를 촉진하기 위한 방안은 다음과 같다. 첫째, **수업의 도입부에서 선행학습에 관해 충분한 회상 과정을 거친다.** 이때 선행학습에서 핵심적인 부분을 요약하고, 새로운 학습과 연결할 수 있는 부분을 중심으로 설명한다. 둘째, **개념이나 이론 설명 시 이를 현장에 적용한 예시와 연습문제를 제시**한다.

203 효과적인 교수 ●○○○○

교사효능감을 통해 교육의 질을 개선할 수 있다. 교사에게 부여된 업무를 수행하기 위해 필요한 여러 능력에 대한 스스로의 믿음을 의미하는 교사효능감이 학생에게 미치는 영향은 다음과 같다. 첫째, 교사효능감이 높은 교사는 **교수·학습 개선에 적극적이므로 학생들의 학업 성취 수준이 높아진다**. 둘째, 학생이 긍정적으로 변화할 것이라는 믿음을 바탕으로 **학생들을 믿어주고 인내함으로써 학생들의 정서적 발달에 도움**을 준다. 교사효능감을 높이기 위한 학교 차원의 지원 방안은 다음과 같다. 첫째, **자기장학과 같이 교사 스스로 자신의 수업역량 등을 평가할 수 있는 기회**를 부여하여 자신의 능력에 대한 믿음을 심어준다. 둘째, 전문적 **학습공동체를 통해 학생들을 변화시키는 다양한 노하우를 공유**한다.

204 효과적인 교수 ●○○○○

수업 효과를 극대화하기 위해 성공적인 교사의 특성과 교수전략을 인식해야 한다. 수업에 성공하는 교사의 특성은 다음과 같다. 첫째, **인지적 측면**에서 교과에 대한 지식과 가르치는 방법에 관한 **교수내용지식**을 가진다. 둘째, **정의적 측면**에서 교직에 대한 높은 동기와 **높은 교사효능감**을 가진다. 한편, 학습자의 학습 참여가 강조되는 현실에 적합한 촉진적 교수전략은 다음과 같다. 첫째, **수업 중 적절한 질문**을 활용하고 학생의 대답에 대한 피드백을 통해 교사의 열정이 학생에게 전달되도록 한다. 둘째, **수업 정리 부분**에서 학생 의견을 적극 반영하여 **후속 학습과제를 마련**함으로써 학생들의 참여를 불러일으키는 수업을 계획한다.

MEMO

최원휘 SELF 교육학
미라클모닝 300제
모범답안 해설

VI

생활지도 및 상담

Chapter 01 생활지도와 진로지도

205 생활지도의 기본적 이해

생활지도를 통해 학생들의 전인적 성장을 실현할 수 있다. A 교사는 학생들이 겪는 생활 문제가 다양해지고 있다고 언급하는데, 이를 고려했을 때 생활지도 실천 시 지켜야 할 원칙과 그 실천방안은 다음과 같다. 첫째, **균등성의 원칙**이다. 모든 학생들은 각자만의 생활 문제를 경험하므로 상담과 같은 생활지도 시 **모든 학생들을 대상으로 진행**한다. 둘째, **과학성의 원칙**이다. 생활 문제가 복잡해지고 있으므로 상담교사를 중심으로 여러 교과교사로 구성된 **전담팀을 구성하여 생활지도에 관한 전문 정보를 공유**한다. 셋째, **협동성의 원칙**이다. 학교에서만으로는 해결하기 곤란한 문제의 경우 **대학이나 지역센터와 같은 지역사회 자원과 연계**하면서 **종합적인 생활지도**를 실시한다.

206 진로지도의 기본적 이해

진로지도를 통해 학생들의 꿈과 끼를 찾아줄 수 있다. A 교사가 기존에 실시한 진로지도 방법과 비교할 때 새롭게 실시하려는 교과 연계 진로지도 방법의 장점은 다음과 같다. 첫째, 일회성 행사인 기존의 방법에 비해 교과 연계 진로지도는 중장기에 걸쳐 이루어지므로, **학생들이 진로지도에 관한 내용과 활동을 내재화하기 용이**하다. 둘째, 외부 체험처를 방문하거나 외부 강사를 초빙하는 기존의 방법에 비해 교과 연계 진로지도는 **추가적인 비용 발생이 최소화되어 효율적**이다. 이러한 교과 연계 진로지도의 구체적 적용 예시는 다음과 같다. 첫째, **미술 교과에서 미래 직업 매거진 만들기**와 같은 활동을 실시할 수 있다. 둘째, **국어 교과에서 직업을 주제로 한 글쓰기 활동 및 발표**를 실시할 수 있다.

207 생활지도·진로지도 이론 ●●●●○

맞춤형 진로지도를 통해 학습자의 개별적 성장을 지원할 수 있다. 개별 특수성에 맞는 맞춤형 진로지도를 위해 파슨스와 로우의 이론을 활용할 수 있다. 파슨스에 따를 때 진로지도 시 고려해야 할 요인은 다음과 같다. 첫째, 학습자 맞춤형 진로지도를 위해 **학습자 개인의 적성, 흥미, 가치, 성격 등 개인이 가진 고유의 특징**을 고려한다. 둘째, 학습자 특성에 맞는 직업을 매칭하기 위해 **직무에서 요구하는 조건, 직무내용의 특징을 고려**한다. 한편, 로우에 따를 때 아동이 최초로 경험하는 부모와의 관계가 아동의 진로 욕구에 영향을 미치므로 **학생 및 학부모 상담**을 통해 **유아기 아동과 부모의 관계**를 추가적으로 확인해야 한다.

208 생활지도·진로지도 이론 ●●●●○

맞춤형 진로지도를 통해 교육의 사회적 기능을 실천할 수 있다. 진로지도 시 홀랜드의 RIASEC을 활용할 수 있다. RIASEC은 개인과 직업 환경의 유형을 구분하고 유사한 유형 간 매칭을 강조하는 모형으로, 학습자의 성격을 여러 유형으로 구분하여 **개인의 성격에 최적화된 맞춤형 진로지도를 실천한다는 점**에서 의의를 가진다. 제시문의 A 학생의 경우 사람들과 어울리는 것을 좋아하면서도 기계·도구 등에는 관심이 없는데, RIASEC에 따를 때 이러한 성격 유형은 **사회형**이라고 할 수 있다. 사회형은 가르치거나 봉사 활동을 하는 것에 관심이 많으므로 A에게 적합한 직업으로는 교사와 같은 **교육자**를 들 수 있다.

209 생활지도 · 진로지도 이론 ●●●●●

진로지도를 통해 학생들의 지속적인 성장을 도모할 수 있다. 수퍼가 제시한 잠정기는 진로에 대한 초기 구상을 시작하는 시기로, 이 시기에 적합한 진로지도 활동은 다음과 같다. 첫째, 홀랜드의 RIASEC과 같은 도구를 활용하여 **학생의 진로 흥미 유형을 검사**한다. 둘째, 학생들의 진로 흥미를 기반으로 **진로 포스터 제작이나 진로 일기 작성과 같은 활동**을 수행한다. 한편, 수퍼는 일생에 걸친 개인의 역할을 시각화한 생애진로 무지개를 강조하였는데, 이를 활용한 진로지도의 효과는 다음과 같다. 첫째, 학생·자녀·시민 등 삶 속에서 **자신이 수행하는 다양한 역할을 이해하면서 자기이해를 증진**할 수 있다. 둘째, 진로를 단순한 직업 선택이 아니라 삶의 연속 과정과 자아실현의 수단으로 인식하면서 **중장기에 걸친 생애설계 능력을 함양**한다.

210 생활지도 · 진로지도 이론 ●●●●○

진로지도를 통해 학생을 사회에 적응하는 인재로 성장시킬 수 있다. 크럼볼츠는 삶의 우연적 사건을 진로에 긍정적으로 승화시키는 계획된 우연을 강조하였는데, 계획된 우연 기술을 가진 사람의 특징은 다음과 같다. 첫째, 새로운 상황이나 사건에 대해서 흥미를 가지는 **호기심**이 높다. 둘째, 예상치 못한 실패나 어려움에도 포기하지 않는 **인내심**이 높다. 계획된 우연 기술을 함양하기 위한 진로지도 활동은 다음과 같다. 첫째, **일상 속에서 겪은 예상치 못한 만남과 경험을 워크시트에 기록하여 호기심을 자극**한다. 둘째, 일주일 동안 새로운 것 1가지 시도하기라는 과제를 제시한 후 실패 경험을 공유하고 격려하는 **"틀려도 괜찮아"와 같은 캠페인을 통해 인내심**을 갖게 한다.

211 생활지도·진로지도 이론 ●●●●○

진로교육을 통해 학교에서의 배움과 학생의 삶을 일치시키는 교육이 가능하다. 진로교육을 위해 블라우가 제시한 사회적 요인을 고려할 필요가 있는데, 이에 따르면 진로에 영향을 미치는 사회적 요인과 고려 방법은 다음과 같다. 첫째, **가정**이다. 진로교육을 할 때 자녀에 대한 부모의 기대, 가족의 가치관, 부모의 사회경제적 지위 등이 학생의 진로 결정에 영향을 미치므로 **학부모 상담**을 통해 가정적 요인을 고려한다. 둘째, **학교**이다. 교사 및 동료 학생과의 관계, 학교에 대한 태도가 진로지도에 대한 수용도에 영향을 미치므로 **설문조사**를 통해 학교 요인을 고려한다. 셋째, **지역사회**이다. 지역사회의 가치관, 지역사회 자원 등도 학생들의 진로 의식에 영향을 미치므로 **지역사회 내 직업 현황, 지역 경제 보고서 등을 확인**한다.

212 생활지도의 실제 ●●●●●

생활지도를 통해 학생들의 전인적 성장을 지원할 수 있다. A 교사는 학생생활지도에 관한 고시에 따라 분리라는 훈육방법을 적용하고 있는데, 이 방법을 적용할 때 유의점은 다음과 같다. 첫째, 학생이 분리된 공간에서 또 다른 비행을 저지르지 않도록 **학생들을 관리할 관리자가 있는 곳에 학생을 분리**한다. 둘째, 분리된 장소에서 무의미하게 시간을 보내지 않도록 **교과서 요약과 같은 과제를 부여**한다. 한편, B 교사는 훈육뿐 아니라 훈계의 적용을 언급하고 있는데, 훈계의 목적은 학생들이 훈육에도 불구하고 자신의 잘못을 인정하지 않거나 행동 개선이 없는 경우 **잘못을 깨닫게 하는 것**에 있다. 훈계의 구체적 방법으로는 학생 자신의 행동에 의해 발생한 부정적 효과를 성찰하는 **성찰문 쓰기 활동**을 제시할 수 있다.

Chapter 02 정신건강과 학생상담 213~220

| 본책 p.138 |

213 정신건강 ●○○○○

학생들의 심리를 이해하면서 학생들의 정서적 발달을 촉진할 수 있다. 시험은 학생들의 학습 결과를 평가하는 것으로서 필연적으로 불안을 발생시킨다. 시험 시 발생하는 불안의 순기능으로는 **적절한 긴장을 통해 주의집중력을 향상**시킨다는 것을 들 수 있다. 이러한 불안을 '촉진적 불안'이라 한다. 반면, 불안의 역기능으로는 불안이 지나친 경우 **정신적 스트레스를 가져와 학생발달에 악영향**을 미칠 수 있다는 것을 들 수 있다. 이러한 불안을 '방해적 불안'이라 한다. 제시문과 같이 발표 시험에 따른 불안을 최소화하기 위한 교사의 실행전략은 다음과 같다. 첫째, 잦은 발표는 방해적 불안을 유발하므로 **적당한 횟수로 실시하고 발표를 만회할 대안적 과제를 제공**한다. 둘째, 경우에 따라서는 **학생들 앞이 아닌 별도의 공간에서 교사를 대상으로만 발표**하게 하여 학생들의 발표 부담을 덜어준다.

214 정신건강 ●●○○○

학생들의 심리를 이해하고 지원함으로써 사회정서 발달을 촉진할 수 있다. 시험 실패로 인한 스트레스를 방어할 수 있는 기제는 다음과 같다. 첫째, **보상**이다. 이는 시험 실패에 따른 열등감과 무력감을 극복하기 위해 다른 행동을 선택하는 것으로, **시험에 실패했지만 잘하는 운동에 집중하게 하는 방법**을 예시로 들 수 있다. 둘째, **합리화**이다. 이는 시험 실패의 원인을 자신의 무능이 아니라, 외적인 요인에 두는 것으로서, **아파서 시험공부를 충분히 하지 못했다고 변명하는 것**을 예시로 들 수 있다. 셋째, **백일몽**이다. 이는 공상의 세계에서 만족감을 구하는 것으로, **시험을 잘 치른 자신을 상상하며 만족감을 느끼는 것**을 예시로 들 수 있다.

215 상담의 기본적 이해 ●●●●○

상담을 통해 학생들의 정서적 발달을 지원할 수 있다. 진실한 상담을 위한 기본 조건으로 **래포 형성**을 들 수 있다. 래포는 상호 간에 신뢰하고 감정적으로 친근감을 느끼는 인간관계로서, 이를 갖추기 위해 상담자인 교사는 **경청**하는 태도를 취할 수 있다. 즉, 경청을 통해 학생(내담자)의 고민을 수용하고 공감하면서 교사-학생 간 래포 형성이 가능하다. 한편, 상담사는 진실한 상담을 위해 상담 내용을 외부에 발설해서는 안 되는데, 이러한 원칙을 '비밀보장의 원칙'이라 한다. 특별한 경우가 아니면 이 원칙을 준수해야 하는데, 이 원칙을 적용하지 않을 수 있는 특별한 사유는 다음과 같다. 첫째, 「**아동·청소년의 성보호에 관한 법률**」에 근거하여 상담 과정에서 내담자(학생)에 대한 성범죄의 발생 사실을 알게 된 **때**에는 해당 내용을 수사기관에 신고하여야 한다. 둘째, **법정에서의 요구가 있을 때**에는 공정한 판결을 위해 정확히 증언해야 한다.

216 학생상담이론 ●●●●●

상담을 통해 학생이 경험하는 위기를 극복할 수 있게 도와준다. A는 학생들 앞에서 발표하는 것을 어려워하는 문제를 지니고 있는데, 각 교사가 활용할 수 있는 구체적 상담기법은 다음과 같다. 첫째, B 교사는 자유연상 또는 **꿈의 분석**을 적용하여 A의 무의식에 있는 발표 공포를 드러내고 이를 의식화시켜 해결할 수 있다. 둘째, C 교사는 **체계적 둔감법**을 이용하여 발표내용을 써봤을 때, 쓴 자료를 혼자서 읽었을 때, 자료를 보면서 남들 앞에서 발표할 때, 자료를 보지 않고 남들 앞에서 발표할 때로 나누어 강화물을 제공하면서 단계적으로 발표 공포증을 해소할 수 있다. 셋째, D 교사는 문제 인식 정도에 관한 **척도 질문**, **해결된 상황에 대한 기적 질문**을 통해 학생 스스로 문제를 인식하고 해결하도록 조력할 수 있다.

217 학생상담이론 ●●●○○

학생의 심리를 이해하고 맞춤형 지원을 해주면서 학생을 바람직한 사회인으로 성장시킬 수 있다. 학생들은 성장과정에서 열등감을 느끼게 되는데, 이러한 열등감은 "나는 발표를 못하니까 더 연습해야겠다"와 같이 **성취를 향한 동기를 유발한다는 점에서 순기능**을 갖는다. 반면, 열등감을 부정적으로만 받아들이는 경우 "어차피 해도 안 될 거야"와 같이 자기 비하, **열등 콤플렉스를 유발한다는 점에서 역기능**을 갖는다. 따라서 열등감을 긍정적으로 승화시키는 것이 중요한데, 이를 위한 교사의 학생지도 방안은 다음과 같다. 첫째, **수준에 맞는 과제를 제시**하여 **성공 경험**을 갖게 한다. 둘째, 결과중심의 피드백보다는 **과정 중심의 피드백을 제공**하면서 틀린 부분에 대해서는 개선의 방향을 알려준다.

218 학생상담이론 ●●●●●

적극적 상담을 통해 학생의 사회정서 발달을 지원할 수 있다. 엘리스는 REBT 이론을 통해 학생이 가진 비합리적 신념을 논박으로써 깨뜨릴 것을 제안한다. 제시문의 A가 비합리적 신념을 갖게 된 이유는 심리적으로 **"의대에 가기 위해서는 수학과 과학에서 만점을 받아야 한다."와 같은 당위적 사고를 하였기 때문**이라 할 수 있다. 이러한 비합리적 신념을 깨뜨리기 위해 논박의 기법을 적용할 수 있는데, 구체적인 적용 예시는 다음과 같다. 첫째, 비합리적 신념이 실제 유용한가를 살펴보게 하는 **기능적 논박**이다. 예를 들어 A에게 **"무조건 수학과 과학에서 만점을 받아야 한다고 생각하는 것이 너의 실제 학습에 효과적이니?"** 라고 물을 수 있다. 둘째, 비합리적 신념의 실제적 근거를 묻거나 다른 사례를 제시하는 **경험적 논박**이다. 예를 들어 **A에게 수학에서 1~2개 틀렸음에도 의대를 간 선배의 사례를 제시**할 수 있다. 셋째, 비합리적 신념이 논리적으로 일관성이 없음을 지적하는 **논리적 논박**이다. 예를 들어 A에게 **"한 번의 성적으로 입시 결과를 단정하는 것이 타당할까?"** 라고 물을 수 있다.

219 학생상담이론 ●●●○○

상담 및 교육적 지도를 통해 인간의 주체적인 성장을 도모할 수 있다. 로저스는 상담을 통해 학생을 충분히 기능하는 인간으로 성장시킬 수 있다고 보았는데, 이러한 인간의 특징은 다음과 같다. 첫째, **자신의 강·약점을 파악할 줄 알고 자신이 가진 자원과 기능을 활용하여 최선의 방안을 도출**한다. 둘째, 살면서 느끼는 다양한 감정을 이해하면서 **자신의 감정을 스스로 통제**할 수 있다. 한편, 학생을 충분히 기능하는 인간으로 성장시키기 위한 교수·학습 활동은 다음과 같다. 첫째, **자기평가를 실시하고 평가를 바탕으로 한 학업계획서를 작성**하게 하여 학습에서 주도성을 갖게 한다. 둘째, **감정카드와 같은 정서 표현 활동**을 통해 감정을 이해하고 주체적으로 표현하도록 돕는다.

220 상담의 실제 ●●●●○

학부모 상담을 활용하여 교육 3주체의 협력을 통한 교육적 지원을 실천할 수 있다. 학부모 상담의 방법으로 최근 비대면 상담이 활성화되고 있는데, 비대면 방식의 경우 **시간적·공간적 제약을 탈피함으로써 효율적이라는 장점**이 있다. 반면, 교사와 학부모 간의 래포 형성이 어려워 **대면 상담에 비해 피상적인 상담이 진행될 수 있다는 단점**이 있다. 한편, B 교사는 문제를 일으킨 학생의 학부모와 상담할 때는 대면 방식이 효과적이라고 판단하고 있는데, 이런 상황에서 학부모 상담 시 유의점은 다음과 같다. 첫째, 문제 상황에 대한 오해가 없도록 **문제행동 사실을 정확하게 안내**하고, 해당 행동이 어떤 이유로 문제가 되는지 **학칙과 같은 근거를 제시**한다. 둘째, 상담이 처벌을 위한 자리로 인식되지 않도록 **향후 절차, 교육적 조치 방안 등을 사례와 함께 제시**한다.

최원휘 SELF 교육학
미라클모닝 300제
모범답안 해설

VII

교육행정학

Chapter 01 교육행정의 기본적 이해: 교육행정 총론 221~224

221 교육행정의 의의 ●●●○○

교육행정의 방향을 설정하면서 저출산에 대응할 수 있다. 제시문의 그림과 같이 현재 우리나라 사회는 초저출산에 따른 학령인구의 감소 상황에 직면하고 있다. 이러한 상황에 적합한 교육행정의 방향은 다음과 같다. 첫째, 구성원들의 의사를 충분히 반영하려는 **민주성의 원리**와 관련하여 학교 내 구성원 수가 줄어들더라도 **학생회·학부모회 등을 강화하여 구성원들의 의견을 충분히 수렴**한다. 둘째, 자원을 효율적으로 사용하려는 **효율성의 원리**와 관련하여 학령인구 감소로 발생하는 **유휴 교실을 지역사회에 개방하거나 교과 교실로 활용**한다. 셋째, 명확한 규칙과 규정에 따라 학교를 운영하는 **합법성의 원리**와 관련하여 학령인구 감소에 대응하도록 **학칙을 개정하고, 학칙에 따라 일관되게 학교를 운영**한다.

222 교육행정의 발달사 ●●○○○

교육행정의 논의를 통해 교육 3주체가 만족하는 교육환경을 조성할 수 있다. A 교사는 조직의 목적 달성을 위해 단 하나의 최선의 방법을 적용할 것을 강조하는데, 여기에 전제되어 있는 이론을 '과학적 관리론'이라 한다. 이에 따르면 A 교사는 **명확한 규칙과 절차에 따른 업무처리 방식을 선호**하며, 성과급의 지급과 같이 **외적 보상을 통한 직무동기 유발방법을 선호**한다. 반면, B 교사는 사람들 간의 상호작용을 중시하는 조직 운영을 강조하는데, 여기에 전제되어 있는 이론을 '인간관계론'이라 한다. 이에 따르면 B 교사는 민주적 회의를 통한 업무처리 방식을 선호하며, 인간적 배려·소통과 같은 상호작용의 **활성화를 통한 직무동기 유발방법을 선호**한다.

223 교육행정의 발달사 ●○○○○

학교조직을 올바르게 이해함으로써 교육의 질 제고 방안을 마련할 수 있다. 관료제는 계층제, 법규에 의한 지배, 분업화, 문서화 등을 특징으로 하는 조직을 의미한다. 이에 근거할 때 학교조직을 관료제로 볼 수 있는 이유는 다음과 같다. 첫째, 학교조직은 **교장-교감-부장교사-일반교사로 이어지는 계층제**의 특성을 지니기 때문이다. 둘째, 학교조직은 **초·중등 교육법, 학칙 등 법규와 공식화된 절차에 의해 운영**되기 때문이다. 학교폭력, 학교 안전사고 등 문제상황이 발생했을 때 학교의 관료제적 특성이 갖는 장점은 상부의 지시에 따라 하부 구성원까지 통일된 방식으로 업무를 처리할 수 있어 **조직 전체가 하나의 유기체로서 문제 상황에 대응할 수 있다**는 것이다. 반면, 단점으로는 **법규와 절차에 매몰되는 경우 융통성을 발휘하기 힘들어 효과적인 문제해결에 장애**가 될 수 있다는 점을 들 수 있다.

224 교육행정의 발달사 ●●●●●

교육행정의 이론적 논의를 통해 학교를 종합적으로 이해할 수 있다. 행정에 관한 체제론적 접근에서는 조직 내에서 발생하는 여러 과정을 통해 자원의 투입에 대한 결과물이 산출되는 것으로 보고, 조직을 이해하기 위해 과정 요인을 종합적으로 이해하는 것을 강조한다. 이때 학교 분석 시 고려해야 하는 과정 요인은 다음과 같다. 첫째, **구조적 요인**이다. 이는 **학내 조직 구조, 학칙과 같은 관료적 측면**의 요인이다. 둘째, **문화 체제 요인**이다. 이는 **교직원, 학생, 학부모 문화와 같은 구성원들의 지향점**과 관련한 요인이다. 셋째, **개인 체제 요인**이다. 이는 **교원과 학생의 기대, 학부모의 기대** 등 개인의 인지와 관련한 요인이다.

Chapter 02 교육행정의 구체적 이해 ①: 동기이론 225~230

| 본책 p.146 |

난도 ○○○○○

225 동기의 내용이론 ●○○○○

교사 맞춤형 지원을 통해 학교 교육의 질을 높일 수 있다. 인간의 욕구를 5가지로 위계화한 매슬로우의 욕구위계론에 따를 때, A 학교 교사들이 결핍되어 있을 것으로 예상되는 욕구는 다음과 같다. 첫째, 교사들은 타 지역과 교류가 제한되어 있는 상태로, 타인과 친목을 다지고자 하는 **사회적 욕구**가 결핍되었을 것으로 예상된다. 둘째, 교육활동 외에 다양한 활동이 제약되어 자신과 타인으로부터 존경받고 싶은 **존경 욕구**가 결핍되었을 것으로 예상된다. 이를 충족시키기 위한 학교 차원의 지원방안은 다음과 같다. 첫째, **학교 주관 전문적 온라인 학습공동체를 구성하고, 온라인 내에서의 수업사례 공유 및 동료 장학** 등을 통해 타 지역 교사와의 비대면 만남을 지원한다. 둘째, **지역 내 공공기관 및 마을공동체와 비공식조직 또는 협력적 행사 등**을 마련하여 교사들이 지역사회의 구성원으로 인정받을 수 있는 기회를 제공한다.

226 동기의 내용이론 ●●○○○

교사의 동기 유발을 통해 학교를 변화시킬 수 있다. 동기를 직무 수행에 만족을 주는 동기요인과 불만족을 주는 위생요인으로 구분하는 허즈버그의 동기이론에 따를 때, 교장의 관리 방식이 A 교사의 동기를 유발하지 못하는 이유는 다음과 같다. A 교사는 가르치는 일 자체에 대해 동기요인을 가지고 있는데, **성과급은 A 교사에게 불만족을 감소시키는 위생요인에 불과해 A 교사의 동기를 발생시키지 못한다**. 이러한 점을 고려하여 A 교사의 동기를 유발하기 위한 구체적인 방법을 동료 교사와의 협력의 측면에서 제시한다면 다음과 같다. 첫째, 좋은 수업 성과를 공유하는 **교사 학습공동체를 활성화**하여 교사의 개별 성취에 대한 협력적 이해를 고취한다. 둘째, **동료 장학을 활성화**하여 교수·학습 활동의 개선을 도모한다.

227 동기의 과정이론 ●●●○○

교사의 직무동기 유발을 통해 교육의 질을 개선할 수 있다. 브룸은 노력이 업무성과를 가져올 수 있다는 기대치, 업무성과가 바람직한 보상을 가져올 것이라고 믿는 수단성, 보상이 개인의 욕구나 목표를 충족시켜주는 유인가의 정도에 따라 개인의 동기가 결정된다고 본다. 지문의 성과급이 A 교사에게 동기를 부여하지 못하는 이유는 다음과 같다. 첫째, **성과급 자체가 적어 만족스럽지 못해 유인가가 낮다는 점**, 둘째, **성과가 아닌 경력이 보상으로 이어지므로 수단성이 떨어진다는 점**을 들 수 있다. 이러한 문제를 해결하기 위한 학교 차원의 지원방안은 다음과 같다. 첫째, **유인가를 높여주기 위해 성과급 또는 성과급을 보완·대체할 보상책을 충분히 확보**한다. 둘째, 수단성을 높이기 위해 **성과평가의 규칙을 확립**한다. 이때 전 직원 참여에 의한 규칙을 수립하는 경우 규칙에 대한 수용도를 높일 수 있다.

228 동기의 과정이론 ●●●●●

교사의 직무동기 유발을 통해 주체적 교육환경을 조성할 수 있다. 브룸의 기대이론을 확장하면서 보상에 대한 구성원들의 만족감을 강조한 포터와 롤러의 성과만족이론에 따를 때, A 학교 교사들이 소극적으로 반응한 이유는 다음과 같다. 첫째, **교사들은 많은 노력을 들였지만, 그에 상응하는 수업 개선이 명확히 인식되지 않아 노력-성과 간 기대가 약화되었기 때문**이다. 둘째, **보상이 체감되지 않는 등 보상체계에 대한 만족감이 유발되지 않았기 때문**이다. 따라서 교사의 적극적 반응을 유도하기 위한 보상 방안은 다음과 같다. 첫째, **내재적 보상**을 강화한다. 예를 들어 자율연구 성과를 학교 내부 연수에서 발표하거나, 우수 사례집에 수록하는 등 **교사의 노력과 성과가 조직 내에서 인정받고 공유되는 구조**를 마련한다. 둘째, **외재적 보상** 체계를 구체화한다. 단순 인센티브 제공 공지에 그치지 않고, **연구 과제의 수행 수준이나 기여도에 따라 차등 지급하거나, 성과급 반영, 연수 이수 인정 등 실질적 보상으로 연결될 수 있도록 명확한 보상제도를 실행**함으로써 보상에 대한 기대와 만족감을 유발한다.

229 동기의 과정이론 ●○○○○

교사의 직무동기에 대한 논의를 바탕으로 교육 3주체가 만족하는 학교 환경을 조성할 수 있다. 타인과 비교하여 얼마나 공정한 대우를 받고 있느냐에 따라 행동을 결정한다고 보는 공정성 이론에 따를 때, 학교에서 교사가 공정성 여부를 판단하는 기준은 **투입 대비 성과**, 즉 자신이 업무에 투자한 시간 대비 보수라고 할 수 있다. A 교사의 경우 동기인 김 교사와 비교했을 때 투입 대비 성과가 공정하지 않다고 판단한다. 이때 A 교사가 공정성을 확보하기 위해 실시할 수 있는 전략은 다음과 같다. 첫째, **투입을 조정한다**. 예를 들어 일과 시간 이후에는 핸드폰을 꺼놓는 등 업무 시간을 줄인다. 둘째, **비교 대상을 변경한다**. 예를 들어 비교 대상을 타 업무 담당자에서 타 학교 동일 업무 담당자로 변경하여 심리적 공정성을 확보할 수 있다. 셋째, **조직을 이탈한다**. 예를 들어 휴직을 하거나 퇴직을 함으로써 불공정한 상황을 탈피한다.

230 동기의 과정이론 ●●○○○

교사의 직무 동기를 유발하면서 역동적인 학교 환경을 조성할 수 있다. 개인이 목표를 어떤 형태로 설정하는가에 따라 목표를 추진하고자 하는 동기가 달라진다는 로크의 목표 설정 이론에 따를 때, 직무 동기를 유발하는 목표의 특징은 다음과 같다. 첫째, **도전적**이다. 다소 어려운 목표는 도전감을 주고, 개인이 문제 해결에 많은 노력을 집중하도록 자극한다. 둘째, **수용적**이다. 개별 구성원이 그 설정 과정에 참여하여 충분히 수용한 목표일수록 동기가 유발된다. 따라서 교사의 개별 목표 설정 시 고려사항은 다음과 같다. 첫째, 교사에게 도전감을 줄 수 있는 목표를 제공하기 위해 **교사의 기존 직무 능력을 고려**한다. 둘째, 교사가 목표를 충분히 수용할 수 있도록 **참여를 통한 목표 설정 방식을 고려**한다.

Chapter 03 교육행정의 구체적 이해 ②: 지도성이론 231~238

231 지도성의 관점 변화

교사의 지도성 분석을 통해 학생이 주체가 되는 학교 환경을 조성할 수 있다. 지도자의 유형을 구분하는 리핏과 화이트에 따를 때 지문의 신규 교사는 모든 의사결정을 학생들에게 맡긴다는 것으로 보아 '**자유방임적 지도자**'에 해당한다. A 교사는 이러한 지도자의 행동을 문제시하면서 학급 내 문제를 해결하기 위해 교사의 역할이 어느 정도 필요하다고 언급하는데, 자율성과 통제 간의 적절한 균형을 갖는 지도자의 행동 유형을 '**민주적 지도자**'라고 한다. 민주적 지도자로서 교사의 구체적 행동 양태는 다음과 같다. 첫째, **학급 내 문제와 관련한 충분한 정보를 제공하고 민주적 해결 사례를 제시하면서 학생들이 스스로 문제를 해결하도록 이끈다**. 둘째, **학급 내 문제해결 과정에서 갈등이 격화되는 경우 정해진 규칙에 따라 이를 중재하고 갈등 해결을 위한 방향성을 제시**한다.

232 지도성의 관점 변화

지도성 분석을 통해 모두가 만족하는 교육 환경을 마련할 수 있다. 지도자의 성향에 따른 지도성 유형을 생산에 대한 관심과 인간에 대한 관심을 바탕으로 구분하는 관리망이론에 근거할 때, B 교감은 교장의 지시만 전달하고 교사와의 소통에는 관심이 없으므로 **방임형 지도자**라고 할 수 있다. 이러한 지도자는 조직의 혁신을 이끌지 못하고 **구성원의 사기진작을 도모하지 못한다는 악영향**을 미친다. 한편, 이 이론에서는 바람직한 지도자를 '팀형 지도자'라고 하는데, 팀형 지도자의 조직 관리 방식은 다음과 같다. 첫째, 조직의 생산에 대한 높은 관심을 바탕으로 **조직관리 매뉴얼에 대해 숙지하고 있고, 일관된 규칙에 따라 조직을 관리**한다. 둘째, 조직 구성원에 대한 높은 관심을 바탕으로 **교사와의 상담에 적극적이고, 교사가 어려움을 겪는 경우 적절한 조언을 제시**해준다.

233 지도성의 관점 변화 ●○○○○

조직 내 효과적 지도성을 마련하기 위해 상황을 고려할 수 있다. 상황에 따라 효과적인 지도자의 행동이 다르다는 피들러에 따를 때, 지도성에 영향을 주는 상황을 상황에 대한 지도자의 통제력인 '상황의 호의성 정도'라고 하는데, 이러한 상황의 호의성 정도에 영향을 주는 요인은 다음과 같다. 첫째, **지도자와 구성원의 관계**이다. 이는 지도자에 대한 구성원의 존경도, 지도자가 구성원에 대해 가지고 있는 신뢰 등을 포함한다. 둘째, **과업구조**이다. 이는 과업의 특성, 과업이 세분화되어 있는 정도를 의미한다. 셋째, **지위권력**이다. 이는 평가권한 등 지도자에게 공식적으로 주어진 권한의 정도를 의미한다. 이때 상황의 호의성 정도가 높아 교장이 조직을 통제하기 용이한 상황에서는, **교장이 명확한 매뉴얼과 성과평가 규칙을 바탕으로 학교를 성과중심으로 운영**할 수 있다.

234 지도성의 관점 변화 ●○○○○

상황별 바람직한 지도성을 통해 상황적 요인에 유연하게 대응하는 학교를 만들 수 있다. 구성원의 성숙도를 통해 학교 상황을 분석하는 허시와 블랜차드에 따를 때, A 교장이 소속된 학교 상황의 특징은 다음과 같다. 첫째, 저연차 교사들이 뭔가 하려고 하는 의지는 있으므로 **동기와 관련한 심리성숙도는 높다**. 둘째, 교직 경력이 짧아 아직 노하우가 부족하므로 **업무 전문성과 관련한 직무성숙도는 낮다**. 이런 상황에서 교장이 가져야 할 적절한 리더십은 **설득형**이다. 설득형의 지도자는 **교사들에게 명확하게 업무를 지시하면서 업무의 의미와 중요성에 대해 충분히 설명하고, 필요하면 상시 장학을 통해 피드백을 제공**한다.

235   최근의 지도성이론 ●●●●○

교육 현장에 맞는 지도성을 적용하면서 학교교육의 목적을 효과적으로 달성할 수 있다. 지문에서 언급한 거래적 지도성과 변혁적 지도성의 차이점은 다음과 같다. 첫째, 구성원의 **동기유발 방식 측면**에서 **거래적 지도성을 갖춘 리더는 성과급 등 외적 보상 방식**을 활용하나, **변혁적 지도성을 갖춘 리더는 자율성 부여, 인격적 감화 등 내적 보상 방식**을 활용한다. 둘째, **추구하는 행정가치 측면**에서 **거래적 지도성은 지시와 계약을 통한 업무의 효율성 확보**를 강조하나, **변혁적 지도성은 효율성뿐 아니라 구성원들의 참여를 통한 민주성 확보 또한 강조**한다. 한편, 학교조직에서 거래적 지도성의 한계는 다음과 같다. 첫째, 교육의 특성상 성과를 수치화하거나 단기 성과를 파악하기 어려워 **가시적 성과를 바탕으로 한 외적 보상이 곤란**하다. 둘째, 교사 조직은 전문가 조직으로서 자율성과 인간에 대한 관심이 높으므로 **업무 중심의 거래적 리더십으로는 조직 운영의 공감대를 형성하기 곤란**하다.

236   최근의 지도성이론 ●○○○○

교사가 적절한 지도성을 갖춤으로써 변화에 융통적인 교실 환경을 조성할 수 있다. A 교장은 교사가 갖추어야 할 지도성으로 변혁적 지도성을 강조하는데, 변혁적 지도성이 학교조직에 미치는 순기능은 다음과 같다. 첫째, **조직 비전을 창출하는 데 구성원을 참여시키고 구성원의 동기를 끊임없이 자극함으로써 학교 조직을 역동적으로 만든다**. 둘째, 일상적 생각에 의문을 제기하고 문제 상황에 대한 **새로운 접근을 유도하면서 혁신적·창의적 조직으로 변모시킨다**. 이러한 지도성이 학교 현장에서 발현된 사례는 다음과 같다. 첫째, **차년도 또는 중장기 학교발전계획 수립 과정에 일선 교사들을 참여시켜 조직 비전을 창출하는 데 기여하게 한다**. 둘째, **전문적 학습공동체·비공식조직 등 쌍방향 소통채널을 활성화하고 해당 채널을 통해 새로운 문제 해결 방안에 대해 소통할 수 있도록 한다**.

237 최근의 지도성이론 ●●●●○

지도성의 변화를 통해 변화하는 환경에 대응하는 학교를 조성할 수 있다. A 교사는 모든 교사를 리더로 성장시키는 초우량 지도성을 강조하고 있는데, 이를 갖춘 교장의 학교조직 운영 방안은 다음과 같다. 첫째, **학교운영위원회나 교직원회의에 교사의 참여를 강조하고 교사들의 의견을 충분히 반영하여 의사결정**한다. 둘째, **자기역량진단을 활성화하고 교사별 경력계획을 스스로 수립하게 함으로써 교사 스스로가 전문가로 성장**하도록 돕는다. 한편, B 교사는 권한을 분산하는 분산적 지도성을 언급하고 있는데, 이러한 지도성에 따라 학교조직을 운영할 때 고려할 점은 다음과 같다. 첫째, **구성원들이 공식적·비공식적으로 상호작용할 수 있도록 협의회와 같은 구조적 조건의 사전 설정 여부를 고려**한다. 둘째, **구성원들에게 리더로서 권한을 분산시켰을 때 효과성을 발휘할 수 있는지 구성원들의 능력을 고려**한다.

238 최근의 지도성이론 ●●●●○

지도성에 대한 논의를 바탕으로 학교의 특수성을 반영한 교육을 실천할 수 있다. 서지오반니는 지도성을 5가지로 위계화하는데, 이에 따를 때 A 교장과 B 교장의 지도성 유형과 해당 유형에서 교장의 역할은 다음과 같다. 첫째, **A 교장**은 학교행사를 통해 학교의 비전과 목표를 환기시키는데, 이러한 지도성을 '**상징적 지도성**'이라고 한다. 이때 교장은 비전을 제시하고 조직을 통솔하는 **대장으로서의 역할**을 수행한다. 둘째, **B 교장**은 교사를 학교조직의 주인으로 만들려고 하는데, 이러한 지도성을 '**문화적 지도성**'이라 한다. 이때 교장은 조직을 위해 헌신하고 봉사하는 **성직자로서의 역할**을 수행한다. 이러한 문화적 지도성을 추후 도덕적 지도성으로 확대 연구하는데, 도덕적 지도성을 갖춘 교장의 조직 관리방식은 다음과 같다. 첫째, **학기 초 전체 교직원과 학생들에게 학교의 가치와 윤리적 기준을 설명하는 등 도덕적 비전을 공유함으로써 조직의 도덕적 공감대를 형성**한다. 둘째, **의사결정 시 공동의 가치·규범에 근거하여 윤리적이고 공정한 의사결정**을 내린다.

Chapter 04 교육행정의 구체적 이해 ③: 조직이론 239~254

239 조직 유형 및 학교조직 ●●○○○

학교 내 비공식조직을 통해 교사 간 소통을 촉진하고 학교 교육의 질을 개선할 수 있다. 비공식조직은 구성원 간 수평적 의사소통이라는 특징이 있는데, 이는 **구성원 간 노하우를 손쉽게 공유할 수 있도록 도와주어 조직의 전반적 전문성을 제고**한다는 순기능을 갖지만, 수평적 의사소통 과정에서 **의견충돌이 있는 경우 구성원 간 갈등을 발생**시킨다는 역기능을 갖는다. 한편, A 교감은 학교 내 비공식조직을 활성화하고자 하는데, 이를 위한 학교 차원의 지원방안은 다음과 같다. 첫째, **비공식조직 운영 사례집을 제공**하여 학교 내 비공식조직에 대한 인식을 개선한다. 둘째, **비공식조직 운영에 필요한 공간을 구성해주거나 물품을 지원**하여 비공식조직 활동에 집중하도록 돕는다.

240 조직 유형 및 학교조직 ●●●●●

교육행정조직에 대한 논의를 바탕으로 학교교육을 개선할 수 있다. 참모조직은 계선조직을 돕는 기구로, 학교행정에서 **교원인사자문위원회**를 예시로 들 수 있다. 이러한 참모조직은 **기획, 조정, 정보 수집, 인사 등의 업무를 수행**하면서 계선기관을 지원·자문·권고하는 역할을 수행한다. 학교에서 참모조직을 구성·운영할 때의 유의점은 다음과 같다. 첫째, 공익성·형평성에 어긋나지 않도록 **명확한 근거 규정을 바탕으로 위원을 구성**한다. 둘째, 불투명하게 운영되지 않도록 **회의과정을 공개하거나 추후 회의록을 공개**한다.

241 조직 유형 및 학교조직 ●●●●●

다양한 이론에 근거하여 학교조직을 분류할 수 있다. 일반 공립 중학교는 교육을 통해 사회가치 등을 보존하는 기능을 수행하는데, A 교사가 언급한 파슨스의 분류에 따를 때 이러한 기능을 수행하는 조직을 '**유형유지 조직**'이라 한다. 또한 일반 공립 중학교는 자동 배정으로 인해 학생과 학교 모두 상호 선택권이 없는데, B 교사가 언급한 칼슨의 분류에 따를 때 이러한 조직을 '**사육조직**'이라 한다. 한편, 우리나라에서는 중학교 배정과 관련하여 조직과 고객에 선택권을 부여하지 않는다. 모든 국민은 능력에 따라 균등하게 교육받을 권리가 있음을 강조하는 헌법 제31조 제1항에 따를 때 이러한 제도는 **균등하게 교육받을 권리, 즉 형평성의 가치 측면에서 타당성**을 가지지만, **능력에 따라 교육받을 권리, 즉 수월성의 가치 측면에서는 한계**가 있다.

242 조직 유형 및 학교조직 ●●●○○

행정조직에 대한 논의를 바탕으로 학교의 특수성에 맞는 교육을 실현할 수 있다. 학교는 업무의 특수성으로 인해 일반적인 관료제와는 구분되면서 전문적 관료제와 일선 관료제로 분류될 수 있다. 우선 학교조직이 전문적 관료제인 이유는 다음과 같다. 첫째, **교사는 자신의 전문 교과에서만 교육활동을 수행하는 등 전문가로서 역할이 강조되기** 때문이다. 둘째, **교육활동과 관련해서는 교장·감의 지시를 직접적으로 받기보다는 교사의 재량권을 충분히 보장받을 수 있기** 때문이다. 동시에 학교조직이 일선 관료제인 이유는 다음과 같다. 첫째, **교육의 수혜자인 학생·학부모와 직접적으로 상호작용하기** 때문이다. 둘째, **수업·평가·학생지도 등에 있어서 공식적인 규칙보다는 학교문화 등 비공식적인 규칙과 관행이 작용하기 때문**이다.

243 조직 유형 및 학교조직 ●●○○○

학교조직에 대한 논의를 바탕으로 학교의 특수성을 고려한 교육을 실천할 수 있다. 코헨 등은 학교조직을 조직화된 무질서 조직이라고 언급하는데, 이러한 조직의 특징은 다음과 같다. 첫째, **불분명한 목표**이다. **학교에서의 목표는 '꿈을 찾는 아이들'과 같이 추상적**이며, 이는 해석하는 사람에 따라 다르게 규정된다. 둘째, 불확실한 기술이다. **교사·행정가·장학 요원들이 사용하는 기술이 과학적으로 명확하지 않고, 적용하는 주체에 따라 적용의 정도나 수준이 다르다.** 셋째, 유동적인 참여이다. **학생·학부모·지역사회의 참여가 고정적이지 않고, 주체에 따라서 조직에 투자하는 시간과 노력의 정도가 다양**하다. 이러한 조직에서는 합리모형이나 점증모형보다는 문제, 해결책, 선택의 기회, 참여자 등이 우연히 모여 의사결정이 이루어지는 **쓰레기통 모형에 따라 의사결정**이 이루어진다.

244 조직 유형 및 학교조직 ●●●●○

학교조직에 대한 논의를 바탕으로 학교교육의 지속적 개선을 도모할 수 있다. A 교장의 언급처럼 학교조직은 이완조직으로서의 성격을 지니고 있는데, 이완조직으로서 학교조직의 특징은 다음과 같다. 첫째, **독립성**이다. 학교조직은 행정실, 교무실, 상담실 등 세부 조직별로 업무가 독립되어 있다. 둘째, **자율성**이다. 교장의 일반적 지시는 존재하나, 교과·생활지도·학급경영·전문 분야 활동에 있어서는 명확한 통제를 받지 않는다. 이러한 특성으로 인해 다양한 문제점이 드러나기도 하는데, A 교장이 언급한 문제점을 극복하기 위한 학교 차원의 실천 방안은 다음과 같다. 첫째, **전문적 학습공동체, 비공식조직 등을 통해 구성원 간 상호작용 기회를 늘리고 상호 간 이해도를 제고**한다. 둘째, **교무회의·워크숍 등을 통해 학교의 핵심 가치와 방향성을 상향식으로 설정**하고, 공동으로 설정한 비전과 목표 안에서 자율적 통제력을 형성하게 한다.

245 조직 유형 및 학교조직 ●○○○○

학교조직에 대한 논의를 바탕으로 질 좋은 학교환경을 조성할 수 있다. 학습을 통해 지속적으로 발전하는 학습조직의 원리와 이를 적용한 학교조직의 모습은 다음과 같다. 첫째, **자기숙련의 원리**이다. 이는 개인의 역량을 지속적으로 강화하는 행위로서, **학교조직에서 교사는 자기장학 · 연수 등을 통해 교사 전문성을 향상**시킨다. 둘째, **비전 공유의 원리**이다. 이는 공동의 목적 달성을 위해 공감대를 형성하고 미래에 대한 바람직한 이미지를 공유하는 것을 의미하는데, **학교조직에서 교사는 동 교과협의회 등을 통해 바람직한 교육에 대한 정보를 공유**한다. 이처럼 학교가 학습조직으로서 작동하는 경우의 순기능은 다음과 같다. 첫째, 자기 숙련을 통해 수업 기술 등 전문성이 향상되면서 수업의 질이 지속적으로 높아진다. 둘째, 비전 공유를 통해 조직에 대한 교사의 책임감 · 소속감이 형성되고 이를 통해 직무동기가 높아진다.

246 조직 유형 및 학교조직 ●○○○○

교수방법의 질 개선을 위해 전통적인 장학 · 기관 중심의 연수에서 벗어나 교원들이 자율적으로 상호 학습을 위한 모임을 갖는 전문적 학습공동체가 강조되고 있다. 전문적 학습공동체의 주요 활동은 다음과 같다. 첫째, **공동연구**이다. 수석교사와 석박사 학위 소지자를 중심으로 수업 개선에 관한 연구 주제를 자율적으로 선정하고 동료교사와 공동연구를 수행한다. 둘째, **성과 공유**이다. 연구 또는 개인적 경험을 통해 얻은 교수방법에 관한 사례를 온 · 오프라인으로 공유하여 성과를 확산한다. 이러한 전문적 학습공동체의 성공조건은 다음과 같다. 첫째, **연구수행을 위한 인프라의 확보**이다. 연구수행을 위한 시간뿐 아니라 연구에 필요한 기자재가 충분히 마련된 경우 성공 가능성이 높아진다. 둘째, **구성원 간 수평적 의사소통**이다. 동료교사들이 서로 대등한 관계에서 의견과 성과를 공유함으로써 수업 개선 효과를 극대화할 수 있다.

247 조직 유형 및 학교조직 ●●●●○

현장 맞춤형 교육의 실천을 위해 교사 학습공동체를 활성화할 수 있다. 교수학습 개선을 위한 자율적 공동체인 교사 학습공동체가 학교조직에 미치는 순기능은 다음과 같다. 첫째, **구성원 간 수평적 의사소통을 활성화하여 상호 이해도를 높이고 조직 내 갈등을 예방**한다. 둘째, 교육 성과의 공유를 통해 허즈버그가 언급한 동기요인을 자극함으로써 **구성원의 직무동기를 제고**하고, **조직 전반에 열심히 일하고자 하는 조직 문화를 구축**해준다. 그러나 이러한 순기능에도 불구하고 현장에서 교사 학습공동체에 대한 구성원의 인식은 낮은데, 이를 개선하기 위한 학교 차원의 지원방안은 다음과 같다. 첫째, **교사 학습공동체 운영 시 예산 활용방안 등 기본 매뉴얼을 제공**하여 교사 학습공동체에 대한 기초 이해를 돕는다. 둘째, **교사 학습공동체 운영 우수사례를 제공**하여 해당 활동의 효과성에 대해 공감하게 한다.

248 조직문화 및 풍토 ●●●○○

조직문화에 대한 연구를 통해 학교를 바람직하게 변화시킬 수 있다. A 중학교 교사들은 서로에게 무관심하고 업무에도 관심이 낮은데, 세씨아와 글리노우의 분류에 따를 때 이러한 학교문화를 '**냉담문화**'라고 한다. 이러한 문화를 가진 학교의 경우 **업무 효율이 낮고 업무가 일부 구성원에 의해서만 업무가 진행되어 교사들의 직무동기가 낮을 수 있다는 문제점**을 지닌다. 이때 A 중학교에 바람직한 학교문화를 구축하기 위한 운영방안은 다음과 같다. 첫째, **위임전결권을 조정하여 교사들에게 자율권을 부여하고, 성과에 대한 책임**을 유도하면서 성과에 대한 관심을 높인다. 둘째, **교사의 개인적인 상황을 존중해주고 비공식 조직을 활성화**하면서 인간에 대한 관심을 높인다.

249 조직문화 및 풍토 ●●○○○

학교문화를 긍정적으로 변화시키면서 교육의 질을 개선할 수 있다. 스타인호프와 오웬스의 학교문화 유형론에 따를 때, A 고등학교는 목표 달성을 위해 교사를 하나의 기계로 이용하므로 **기계문화**라고 할 수 있다. 이러한 문화 속에서 교장은 기계를 작동하는 **기계공으로서의 역할**을 수행하며, 오로지 좋은 성과를 창출하는 데만 관심을 둔다. 한편, 하그리브스는 효과적인 학교문화에 대해 인간에 대한 관심과 성과에 대한 관심이 모두 적절할 것을 강조하는데, 효과적인 학교문화에서 교사와 교장의 행동양태는 다음과 같다. 첫째, **교사들은 성과와 행동에 대한 기대가 높고, 학생과 만족스러운 관계를 유지하려고 노력**한다. 둘째, **교장은 목표 달성을 강조하면서 규칙과 업무 중심의 지나친 통제보다는 교사와 학생들을 적절한 수준에서 합리적으로 통제**하려고 노력한다.

250 조직문화 및 풍토 ●●●●●

학교풍토를 개방적으로 변화시킴으로써 급변하는 교육환경에 적절히 대응할 수 있다. 제시문 속 학교의 경우 교장은 성과만을 강조하면서 일선 교사들의 사회적 욕구 충족에는 관심이 없는데, 학교풍토를 6가지로 구분하는 핼핀과 크로프트의 학교풍토론에 근거할 때 이러한 학교풍토를 '**통제적 풍토**'라고 한다. 이러한 학교풍토를 개방적으로 만들기 위해서는 교장의 추진성 지수와 교사의 사기를 높이고 교사의 방임 지수를 낮추는 것이 필요하다. 학교풍토를 개방적인 풍토로 조성하는 구체적 방안은 다음과 같다. 첫째, **교장이 도덕적 지도성을 바탕으로 매사 업무에 적극적으로 참여하는 등 솔선수범하는 태도를 보인다.** 둘째, **교사 간 상담을 통해 교사들의 사회적 욕구를 파악하고 교사의 사기를 높일 수 있는 보상체계를 구축**한다. 셋째, **위임전결 규정을 수정하면서 권한위임을 통해 일선 교사에게 재량권과 책임감을 부여하여 방임 지수를 낮춘다.**

251 조직문화 및 풍토 ●●●●○

민주적 통제방식에 근거한 학교풍토를 조성하여 글로벌 시민성을 갖춘 미래 인재를 육성할 수 있다. 지문의 교육감은 통제 중심이었던 기존의 학교풍토를 협력과 자율 중심의 새로운 풍토로 전환할 것을 강조한다. 윌로워 등의 학교풍토 유형론에 근거하면 **기존의 학교풍토는 보호지향적 학교풍토, 새로운 학교풍토는 인간주의적 학교풍토**라고 할 수 있다. 인간주의적 학교풍토를 조성하기 위해 단위 학교에서 실시할 수 있는 민주적 통제방식은 다음과 같다. 첫째, **학생자치회의 결정사항과 권한 등을 확대하여 협력적 상호작용을 촉진**한다. 둘째, **온라인 학생 건의함을 만들어** 학생들이 자유롭게 학교 운영에 관한 아이디어와 문제를 **표현**할 수 있도록 한다.

252 조직관리 ●●●●●

갈등관리를 통해 학교교육을 더 높은 수준으로 끌어올릴 수 있다. 학교조직 내에서 발생하는 대표적인 갈등으로 업무분장상의 갈등이 있다. **업무분장상 갈등은 기피업무에 대한 회피로 업무상 지연을 발생시킬 수 있다는 역기능**이 있지만, **기피업무를 가시적으로 드러냄으로써 해당 업무에 관한 보상책을 마련하는 등 제도를 개선할 수 있다는 순기능**을 갖는다. 이러한 역기능을 최소화하고 순기능을 극대화하기 위한 갈등관리 전략은 다음과 같다. 첫째, 갈등 예방 전략으로서 **교과협의회 등 공식조직을 통한 소통뿐 아니라 동아리 등 비공식조직을 통한 소통을 활성화**하여 기피업무를 조기에 발견하고, 기피업무에 관한 보상책을 마련하여 갈등을 예방한다. 둘째, 갈등 조성 전략으로서 **타 학교 사례 등을 제공**하면서 기존 업무분장 방식에 대한 문제의식을 불러일으키고 보다 나은 대안을 탐색할 수 있다.

253 조직관리 ●●●●●

갈등관리를 통해 교육목적을 달성하는 교육환경을 조성할 수 있다. 제시문에 표시된 A 유형은 조직의 생산과 사람에 대한 관심이 모두 높은 팀형의 지도자 유형이다. 토마스 – 킬만의 갈등관리전략에 근거할 때 해당 유형의 지도자가 행할 수 있는 갈등관리전략은 자신과 상대방의 욕구를 모두 충족하는 **협력 전략**이라 할 수 있다. 이러한 전략은 **갈등의 근본 원인을 해결해야 하면서도 충분한 시간이 있는 상황에서 적절**하다. 한편, B 학교는 성과급 배분과 관련하여 갈등을 경험하고 있는데, 협력 전략을 통한 갈등의 해결방안은 다음과 같다. **첫째, 다양한 성과급 배분 규칙 사례와 사례별 장·단점을 제시하고, 협의를 통해 학교 목표 달성에 최적화된 배분 규칙을 마련**하도록 한다. 둘째, 합의된 배분 규칙에 의해 소외당할 수 있는 교사들을 분석하고, 이들을 위한 추가 보상책을 마련하여 다수가 만족할 수 있도록 유도한다.

254 조직관리 ●●●○○

통합 교육과정의 성공적 운영을 위해 교직원 간 의사소통을 활성화해야 한다. 학교 내 의사소통에 영향을 미치는 요인은 다음과 같다. 첫째, **구성원 측면에서 개인 간 가치관의 차이**이다. 구성원 간의 가치관이 유사하면 의사소통이 활발해진다. 둘째, **조직 측면에서 의사소통 채널**이다. 소통 채널에 대한 접근성이 높고, 채널이 다양할수록 의사소통이 활발해진다. 통합 교육과정의 성공적 운영을 위한 학교 내 의사소통 활성화 방안은 다음과 같다. 첫째, **학교 내 비공식활동을 촉진하여 교육과정 운영에 관한 교사 간 상호 이해의 폭을 넓힌다**. 둘째, 수석교사 등 경력교사를 중심으로 온·오프라인 교과 간 협의회를 정례화하여 통합 교육과정 운영을 위한 교육내용과 방법을 공유한다.

Chapter 05 교육행정의 구체적 이해 ④: 의사소통이론

255 의사소통의 이해

구성원 간 의사소통을 활성화하면서 더 나은 교육환경을 조성할 수 있다. 조해리의 창에서는 자신에 대한 것을 자신과 타인이 아는 정도에 따라 4가지 의사소통 방식을 제시한다. 제시문의 **A 교사**는 자신의 단점에 대해 스스로는 모르지만 타인은 알고 있는 상황에 놓여 있는데, 이러한 상황의 의사소통 방식을 '**독단형**'이라 한다. 독단형에서는 타인의 비판을 수용하지 않는다. 반면, **B 교사**는 자신의 단점에 대해 알고 있지만 타인은 모르는 상황에 놓여 있는데, 이러한 상황의 의사소통 방식을 '**과묵형**'이라 한다. 이러한 의사소통 방식하에서는 의사소통이 원활하지 않게 된다. 효과적인 의사소통은 모든 것이 개방적일 때 나타난다. 이를 위해 필요한 조직문화는 구성원들이 서로의 정보를 공개하고 서로를 존중하면서 적극적인 의사소통을 진행하는 **개방적 조직문화**라 할 수 있고, 이때 리더의 지도성 유형은 상호 간의 소통을 촉진하면서도 변화에 민감한 **변혁적 지도성**이 적합하다고 할 수 있다.

256 의사결정의 모형

의사결정 방식의 변화를 통해 민주적 교육환경을 조성할 수 있다. 조직 내 의사결정 과정에 구성원을 참여시켰을 때 효용성은 다음과 같다. 첫째, **참여를 통해 구성원의 사기를 제고하고 조직에 대한 애착감을 형성**할 수 있다. 둘째, **참여를 통해 추후 의사결정 결과에 대한 구성원의 수용도**를 높일 수 있다. 한편, 참여적 의사결정 모형에서 브리지스는 구성원의 상황을 적절성과 전문성을 기준으로 4가지로 구분한다. 제시문의 2그룹은 고경력 교사들로서 업무분장에 관한 전문성을 가지고 있으나, 내년에 학교를 떠날 것이므로 업무분장 규칙이 주는 이해관계, 즉 적절성은 없다. 브리지스 모형에서는 이러한 교사들을 **전문성 한계 영역**에 있다고 판단한다. 이러한 상황에서 A 교장은 2그룹의 구성원들이 **업무분장을 위한 대안과 아이디어를 제공할 수 있도록 참여 수준을 정하는 것**이 바람직하다.

257 의사결정의 모형 ●●○○○

학교 내 의사결정 방식의 변화를 통해 모두가 만족하는 교육을 추구할 수 있다. 호이와 타터의 참여적 의사결정 모형에 따를 때 A 중학교의 경우 교사의 대다수가 연구학교에 관한 전문성을 가지고 있고, 통합 교육과정은 모든 학급에 적용될 예정이므로 관련성도 있는 상황이다. 동시에 구성원들은 수용영역 밖에 있지만 교장을 신뢰하지 않는 상황인데, 이러한 의사결정 상황을 '**갈등적 상황**'이라고 한다. 이에 적합한 의사결정 구조는 구성원들 전체에 연구학교 참여와 관련한 자문을 구하는 **집단자문**의 형태를 띤다. 여기서 교장의 역할은 **교육자**로서 연구학교 참여와 관련한 쟁점사항과 제약요인을 설명하되, 최종 결정을 내리는 것이다.

Chapter 06 교육행정의 실제 258~271

258 교육기획 ●●●○○

교육기획을 통해 미래 교육활동을 준비할 수 있다. A 교장은 학교조직이 관료제적 특성과 전문가적 특성을 가진 전문적 관료제라고 보는데, 이러한 특성을 고려했을 때 교육기획 시 따라야 하는 원리는 다음과 같다. 첫째, **효율성의 원리**이다. 제한된 자원을 능률적·효과적으로 사용하기 위해서는 규범과 명확한 절차에 따라서 가장 효율적인 방법을 마련해야 한다. 둘째, **전문성의 원리**이다. 학교는 다양한 교과 전문가들로 구성되어 있으므로 교육기획 시 구성원들의 적극적인 참여와 검토를 필요로 한다. 한편, 학교에서 실시할 수 있는 교육기획의 구체적인 방법은 다음과 같다. 첫째, **수익률에 의한 접근방법**이다. 학교가 가진 자원과 해당 자원을 활용했을 때의 효과를 수치화하고, 이를 기준으로 효율적인 기획의 우선순위를 결정한다. 둘째, **구성원의 수요에 의한 접근방법**이다. 학교에 대한 학생, 학부모, 교원의 요구를 고려하여 이에 대응하는 전문적인 대안을 결정한다.

259 교육정책 결정 ●●●●○

의사결정 방식에 대한 논의를 할 때에는 교육의 특수성을 고려할 수 있다. 의사결정의 양대 관점으로 합리적 관점과 점증적 관점이 있는데, 이를 학교 현장에 적용한 예시는 다음과 같다. 첫째, **합리적 관점**은 목표 달성을 위한 최적의 대안을 분석·선택하는 방식으로, 예를 들어 **학교에서 예산을 배분할 때 여러 교육 프로그램의 장단점을 분석하고 교육 효과가 가장 높을 것으로 예측되는 프로그램에 우선적으로 투자하는 결정**이 해당된다. 둘째, **점증적 관점**은 여러 이해관계자의 타협과 협의를 통해 이전보다 나은 수준에서 결정이 이루어지는 과정 중심의 의사결정으로, 예를 들어 **학년 교육과정 편성 시 학년 부장, 교과 담당자, 연구부장 등 다양한 이해 당사자가 협의하여 공통안을 도출하는 사례**가 이에 해당한다. 현실에서는 점증적 관점에 따른 의사결정이 주로 나타나는데, 모든 학생의 성장을 위해 다양한 의견을 반영해야 하는 교육의 특수성을 고려했을 때, 점증적 관점은 **의사결정의 민주화라는 측면에서 효용성**을 가진다. 반면, 변화하는 환경에서 **교육혁신이 필요한 최근의 교육 패러다임을 고려했을 때 점증적 관점은 의사결정의 속도를 늦추고 혁신을 저해한다는 점**에서 한계를 가진다.

260 교육정책 결정 •••••

학교를 이해하기 위해서 학교에서 나타나는 의사결정 방식을 이해할 필요가 있다. A 장학사는 우연에 의해서 의사결정이 이루어지는 쓰레기통 모형을 언급하고 있는데, 쓰레기통 모형이 나타나는 상황은 다음과 같다. 첫째, **이전의 사례가 없는 위기 상황**을 제시할 수 있다. 예를 들어 **신생 학교에서 발생한 학교폭력 문제가 사회 문제로까지 번질 정도로 위급한 경우**, 합리적 대안 검토나, 구성원들의 참여에 따른 의사결정보다는 우연한 계기 또는 외적인 요인들로 의사결정이 이루어질 수 있다. 둘째, **조직화된 무질서 조직 상황**을 제시할 수 있다. 예를 들어, **학교조직의 목표가 불분명하고 업무 매뉴얼이 명확치 않으며, 구성원들의 변화가 큰 경우**에는 우연한 계기로 의사결정이 일어나게 된다. 이러한 모형에 따른 의사결정이 갖는 문제점은 다음과 같다. 첫째, **합리성이 떨어짐에 따라 구성원들의 동의를 얻지 못해 의사결정에 대한 구성원들의 수용도가 낮을 수 있다**. 둘째, **효과적인 대안이 있음에도 불구하고 이를 발견하지 못해 의사결정의 효과가 작을 수 있다**.

261 교육정책 결정 •••••

의사결정 논의를 통해 교육 3주체가 만족하는 교육환경을 조성할 수 있다. 킹던의 정책흐름모형은 3가지 흐름이 정책활동가에 의해 결합되어 정책의 창이 열리면서 정책이 탄생한다고 본다. 이때 3가지 흐름의 구체적 예시는 다음과 같다. 첫째, **정책문제의 흐름은 정책결정자가 어떤 문제를 중요한 것으로 인식하게 만드는 계기로, 교권 침해와 관련한 실제 사건의 발생**을 예로 들 수 있다. 둘째, **정치의 흐름은 선거 등에 따른 정치적 사건으로, 대통령의 선출에 따른 교육부 장관의 교체**를 예로 들 수 있다. 셋째, **정책대안의 흐름은 전문가가 제시한 정책대안으로, 교권침해에 대한 연구자들의 정책연구 결과**를 예로 들 수 있다. 이러한 3가지 흐름이 교사를 비롯한 정책활동가의 활동을 통해 결합되면 정책의 창이 열리는데, **정책의 창은 일시적으로만 열리고 정책문제가 충분히 다루어지면 바로 닫힌다**는 특징을 가진다.

262 국가와 지역의 협력 ●●○○○

학교행정의 다양화를 통해 지역사회와 함께하는 교육을 실천할 수 있다. 최근 학교행정에서 활성화되고 있는 지역사회와의 협력이 나타난 사례는 다음과 같다. 첫째, **인적인 측면에서 학교운영위원회에 지역인사를 일정 부분 참여**시켜 그들로부터 전문적인 의견을 듣는 것이다. 둘째, **물적인 측면에서 학교교육에 필요한 물품을 지역사회로부터 교육기부로 받거나 대학의 실험실 등을 활용**하는 것이다. 한편, 학교행정에 지역인사를 참여시키는 경우 고려사항은 다음과 같다. 첫째, 지역인사가 지역 내 의견을 대표할 수 있도록 지역인사 선정 시 **해당 지역인사의 대표성·전문성·도덕성을 고려**한다. 둘째, 지역인사가 교육목적에 따라 활동할 수 있도록 **사전에 지역인사의 역할과 권한을 고려**한다.

263 교원의 전문성 향상 ●●●○○

장학에 대한 논의를 바탕으로 공교육의 경쟁력을 제고할 수 있다. 장학의 관점은 크게 역할로서의 장학과 과정으로서의 장학으로 구분되는데, 각 관점별 장학의 사례는 다음과 같다. 첫째, 상하관계를 바탕으로 하는 **역할로서의 장학**의 사례로는 교육청과 같은 상급 관리기관이 단위학교의 교육활동에 대한 문제점을 찾고 대안을 제시하는 **기관주도장학**을 들 수 있다. 둘째, 협동관계를 바탕으로 하는 **과정으로서의 장학**의 사례로는 단위학교 내에서 교사들 간 협력을 바탕으로 더 나은 교육활동 방안을 모색하는 **동료장학**을 들 수 있다. 한편, 최근에는 과정으로서의 장학이 강조되고 있는데, 이러한 장학이 효과성을 발휘하기 위한 전제 조건은 다음과 같다. 첫째, 장학 과정과 결과에 대한 수용도를 높이기 위해서는 **장학에 참여하는 교사의 교육활동 개선 의지와 욕구**가 높아야 한다. 둘째, 장학의 내용이 실질적으로 **학교에 도움을 줄 수 있도록 장학 담당자의 교육활동 전문성**이 높아야 한다.

264 교원의 전문성 향상 ●●●●●

자기장학을 통해 교사가 스스로 끊임없이 발전하는 방향으로 교육 현장이 변화하고 있다. 교사가 자신의 수업과 학급경영 활동을 점검하는 자기장학이 학교조직에 미치는 순기능은 다음과 같다. 첫째, **효율성 확보 기능**이다. 자기장학은 교사 스스로 원해서 하는 것이므로 학교조직 차원에서 필요한 별도의 추가 비용이나 시간 투자가 적어 효율성을 확보하기 용이하다. 둘째, **발전하는 조직문화 조성 기능**이다. 자기장학에 참여하는 구성원들이 많아질수록 조직 전반에 걸쳐 스스로 노력하는 문화가 조성될 수 있다. 한편, 자기장학에서 활용할 수 있는 역량 진단 지표의 예시는 다음과 같다. 첫째, **수업 측면에서 학생들이 수업에 적극적으로 참여했는지 여부**를 들 수 있다. 둘째, **학급경영 측면에서 교사 독단이 아닌 민주적인 방식에 의해 주요 의사결정이 이루어졌는지 여부**를 들 수 있다.

265 교원의 전문성 향상 ●○○○○

장학을 통해 교육의 질을 개선할 수 있다. A 교사는 교사 간 상호 협력을 통해 교육활동의 개선점을 논의하는 동료장학을 언급하고 있는데, 이러한 장학을 학교 현장에서 실천한 사례는 다음과 같다. 첫째, 고경력 교사와 저경력 교사가 짝을 이루게 함으로써 고경력 교사의 노하우를 저경력 교사에게 자연스럽게 전달하는 **멘토 - 멘티교사 짝짓기**이다. 둘째, 수석교사·부장교사를 중심으로 수업개선을 위한 연구 활동을 하고 연구결과를 공유하는 **교사 학습공동체**이다. 이러한 동료장학을 활성화하기 위한 학교 차원의 지원방안은 다음과 같다. 첫째, **인적인 측면에서 동료장학 우수사례를 제공**하여 장학 방식·효과 등에 관한 공감대를 형성한다. 둘째, **물적인 측면에서 동료장학에 필요한 공간을 확보해주거나 영상장비 등 필요한 물품을 지원**한다.

266 교원의 전문성 향상 ●●○○○

장학방식의 변화를 통해 디지털 대전환 시대에 맞는 교육환경을 조성할 수 있다. A 교사는 모의수업 영상을 촬영하여 외부전문가로부터 해당 영상에 대해 장학을 받는 마이크로티칭을 언급하고 있는데, 이러한 장학 방식에 참여할 때 경험할 수 있는 어려운 점은 다음과 같다. 첫째, **충분한 역량을 갖춘 장학 담당자에 대한 정보 부족 문제**를 경험할 수 있다. 둘째, **영상 촬영에 필요한 공간이나 물품 부족 문제**를 경험할 수 있다. 이러한 어려움을 해결할 수 있는 학교 차원의 지원방안은 다음과 같다. 첫째, **학교 또는 지역 내 전문성을 갖춘 인력에 대한 인명록을 제공**해준다. 둘째, **교내 스튜디오나 촬영 장비 등을 활용할 수 있도록 지원**한다.

267 교원의 전문성 향상 ●●○○○

장학 방식의 다변화를 통해 급변하는 교육 환경에 유연하게 대응할 수 있다. 전문가는 새로운 장학 방식으로 컨설팅 장학을 언급하고 있는데, 학교에서 컨설팅 장학을 실시하고자 할 때 고려사항은 다음과 같다. 첫째, **구성원들의 전문성 향상 의지와 욕구**를 고려한다. 컨설팅 장학은 **자율성의 원리에 따라 구성원들의 자발적 의지가 있을 때 장학에 대한 수용도가 높아지기 때문**이다. 둘째, 매칭 가능한 전문가들의 전문성을 고려한다. 컨설팅 장학은 전문가들의 이론·현장 전문성이 갖추어져 있을 때 보다 효과적인 지도와 조언을 유도할 수 있기 때문이다. 셋째, 비용과 시간상의 현실적 가능성을 고려한다. 컨설팅 장학은 기관주도 장학이나 동료장학에 비해 추가 비용이 발생하여 단위학교의 예산 제약을 벗어날 수 있기 때문이다.

268 인사행정 ●●●●○

수석교사제를 통해 교사가 집중할 수 있는 교육환경을 조성할 수 있다. 수석교사제가 교사들의 동기를 유발하는 이유는 다음과 같다. 첫째, **허즈버그의 동기·위생요인이론의 측면**에서 수석교사로 선정되면 학교 내·외적으로 인정과 존경을 받게 되는데, 이는 동기요인을 자극하여 직무동기 유발로 이어질 수 있다. 둘째, **브룸의 기대이론의 측면**에서 교사가 수업에 집중하면 **좋은 결과로 이어지고**, 그러한 결과를 통해 수석교사로 선정되며, 수석교사를 통해 얻은 보상이 만족스러우면 기대치·수단성·유인가가 알맞게 연결되면서 동기가 유발된다. 이러한 수석교사를 학교에서 활용할 수 있는 방안은 다음과 같다. 첫째, **학교 자율장학에서 장학 담당자로서의 역할**을 부여하여 수업 노하우를 공유할 수 있도록 한다. 둘째, **학교 내 전문적 학습공동체의 파트 리더로서 역할**을 부여하여 교육활동 개선을 위한 다양한 연구활동을 수행하도록 한다.

269 교육재정 ●●●●●

단위 학교 예산제도의 논의를 통해 **책임교육을 실천**할 수 있다. 특정 사업에만 활용되도록 교육청의 제약을 받는 목적사업비는 다음의 문제점을 가진다. 첫째, **특정 목적 외의 사용이 제한되어 상황 변화에 융통성 있게 대응하기 곤란**하다. 둘째, **예산의 이월이 제약되어 예산 절감 유인이 약하고, 예산 활용상 비효율이 발생**할 수 있다. 이러한 한계를 극복하기 위해 A 교사는 학교 자율사업운영제를 제시한다. 이때 해당 제도의 책무성을 확보하기 위해 검토할 수 있는 항목은 다음과 같다. 첫째, **현장 의견수렴 여부**이다. 사업 운영과 예산계획에 관해 학부모 공청회 등을 거쳤는지 검토한다. 둘째, **관련 법령과 조례의 검토 여부**이다. 양성평등기본법 등 예산사업과 관련한 법령을 준수했는지 검토한다. 이처럼 단위 학교의 예산상 자율성과 책무성을 부여함으로써 책임교육을 실천할 수 있다.

270 교육재정 ●●●●○

예산 활용의 효과성을 극대화하기 위해 대안적 예산제도를 활용할 수 있다. **A 예산제도는 총액배분 자율편성 예산제도**로서 단위학교에 최대한의 자율성을 부여하여 **학교 상황에 맞는 운영을 가능**하게 한다. **B 예산제도는 영기준 예산제도**로서 단위학교가 우선순위에 따라 예산을 편성·운영하게 함으로써 **예산 활용의 효과성을 제고**할 수 있다. 이러한 대안적 예산제도의 성공적 운영을 위한 학교 차원의 실행방안은 다음과 같다. 첫째, 총액배분 자율편성 예산제도에서는 단위학교의 자율권과 책무성의 조화가 강조되므로 학부모, 지역사회 위원 등이 참여하는 **학교운영위원회에 예산소위원회를 구성하는 등 예산 관련 기능을 강화**한다. 둘째, 영기준 예산제도에서는 현재 사업의 우선순위 파악이 중요하므로 **학교 내 교직원 전체회의를 통해 단위학교의 가장 중요한 목표를 선정하고, 예전 예산업무 경험자를 중심으로 TF를 구성하여 사업의 우선순위를 선정**한다.

271 교육법 ●○○○○

교육행정의 논의를 통해 모두가 안전한 교육환경을 조성할 수 있다. 학교안전사고의 발생 예시는 다음과 같다. 첫째, **혹서기에 발생할 수 있는 일사병**, 둘째, **급식실에서 발생할 수 있는 식중독 또는 가스중독** 등이 있다. 이러한 사고를 예방·해결하기 위한 학교의 조치는 다음과 같다. 첫째, 일사병과 같이 자연재해나 이에 따른 안전사고가 우려되는 경우, **학교장은 예방 차원에서 휴업을 결정**한다. 둘째, 중독 관련 사고와 같이 학교 내에서 해결하기 어려운 안전사고가 발생하는 경우, **관련 기관에 즉시 신고하고 학교 보험 등을 통해 치료를 지원**한다.

Chapter 07 학교 및 학급경영 272 ~ 277

| 본책 p.170 |

난도 ○○○○○

272 학교경영 ●●●●●

상황에 맞는 학교경영 방식을 적용함으로써 교육의 목적을 효과적으로 달성할 수 있다. 부쉬의 학교경영 모형에 따를 때 교장별 의사결정 형태와 지도성 행태는 다음과 같다. 첫째, **A 교장**은 조직의 위계적 구조를 강조하여 **공식적 모형**에 따라 학교를 경영하며, 의사결정 시에는 합리적 관점을 따르면서 **교장 중심의 단독 의사결정 방식**을 보인다. 즉, A 교장은 카리스마를 바탕으로 조직을 통솔·지시하는 **과업중심적 지도성 행동**을 보인다. 둘째, **B 교장**은 민주성의 가치를 강조하여 **합의제 모형**에 따라 학교를 경영하며, 의사결정 시에는 민주적 관점을 따르면서 **구성원의 참여적 의사결정 방식**을 보인다. 즉, B 교장은 자신도 한 명의 참여자로서 합의를 촉진하는 **인간중심적 지도성 행동**을 보인다.

273 학교경영 ●○○○○

학교경영 방식에 대한 논의를 통해 공교육의 질을 제고할 수 있다. 참여의 과정을 통해 조직의 목표를 명료화·체계화하는 목표관리제에 따라 학교를 경영했을 때의 장점은 다음과 같다. 첫째, **참여와 합의를 통해 목표를 설정하면서 교육의 민주화·분권화를 촉진**할 수 있다. 둘째, **목표와 책임에 대한 명확한 설정을 통해 조직 운영의 방향을 분명하게 하고 조직 운영의 효율성과 책무성을 확보**할 수 있다. 목표관리제의 운영을 위한 학교장의 구체적 역할은 다음과 같다. 첫째, 구성원들이 적극적으로 목표설정 과정에 참여할 수 있도록 **온·오프라인 교직원회의 등 참여의 기회를 제공하고 동기를 유발**한다. 둘째, 타 교사의 아이디어를 비판하고 지시·통제하기보다는 **학교장 또한 함께 목표를 구성하는 참여자로서 적극적으로 아이디어를 개진**한다.

274 학교경영 ●●●●●

단위학교 책임경영제의 적용을 통해 학교 특성에 맞는 교육을 실천할 수 있다. 머피와 벡의 단위학교 책임경영제 통제 모델에 근거할 때 전문적 통제모델과 지역사회 통제모델의 실행방안과 유의점은 다음과 같다. 첫째, 교사의 역할을 강조하는 전문적 통제모델을 실행하기 위해서 **교육과정 편성, 예산 배분 등의 주요 운영에 교사위원회, 교과협의회 등의 참여를 활성화**한다. 이때 교사 간 전문성과 관심의 차이로 **일부의 참여로만 그치거나 권한 분산에 따른 책임 회피로 이어지지 않도록** 유의해야 한다. 둘째, 지역사회의 역할을 강조하는 지역사회 통제모델을 실행하기 위해서 **공식적인 학교운영위원회 외에도 학부모·지역사회 간담회를 상시 개최**하여 학교교육에 관한 지역사회의 의견을 수렴하도록 한다. 다만, **지역사회의 의견이 과도하게 반영되어 학교 본연의 교육목표가 왜곡되지 않도록** 유의해야 한다.

275 학교경영 ●●●○○

학교운영위원회를 통해 교육의 민주화를 실현할 수 있다. 단위학교에 운영상 자율성을 부여하는 학교운영위원회에서의 심의사항은 다음과 같다. 첫째, **학교헌장과 학칙의 제·개정과 관련한 사항**을 심의한다. 둘째, **학교의 예·결산안**을 심의한다. 이러한 학교운영위원회가 제 기능을 수행하기 위한 구성·운영 방안은 다음과 같다. 첫째, **학교운영위원회 구성 시** 전문성을 갖춘 다양한 지역사회 인사를 초빙하기 위해 **대외 홍보를 강화하고, 공모 절차를 투명하게 하며, 지역위원 선발 시에는 지자체와의 협력을 강화해 지역 내 유능한 인사에 관한 인력풀을 활용**한다. 둘째, 학교운영위원회 운영 시 교장의 거수기구로 전락하는 것을 방지하기 위해 **회의록을 공개하거나 회의 과정을 온라인을 통해 학부모들에게 공개**한다.

276 학급경영 ●○○○○

학급경영에 대한 이해를 바탕으로 학습자 개별 맞춤형 교육을 실현할 수 있다. 학급 목표를 효과적으로 달성하기 위해 학급 내 인적·물적 자원을 효율적으로 관리하는 활동인 학급경영은 기초조사부터 시작되는데, 이 단계에서 조사하는 사항은 다음과 같다. 첫째, **과거 학생부 확인 또는 상담 등을 통해 학생의 특성을 조사**한다. 둘째, **가정환경 조사서, 지역사회 분석 자료를 통해 가정환경과 지역사회의 특성을 조사**한다. 한편, 최근 민주성의 가치가 강조되면서 민주적 학급경영 또한 강조되고 있는데, 그 방안은 다음과 같다. 첫째, **학생들의 참여를 통해 태블릿 도우미 등 교실 내 1인 1역할을 선정**한다. 둘째, **학급 회의를 통해 지각·비행행위 시 규칙과 같은 학급 규칙을 민주적으로 수립**한다.

277 학급경영 ●○○○○

학부모 학교 참여를 통해 교육 3주체가 만족하는 교육환경을 조성할 수 있다. 학부모의 학교 참여가 필요한 이유는 다음과 같다. 첫째, **다양한 교육 수요를 파악하고 교육의 민주성을 확보**할 수 있다. 둘째, **학생 성장을 위한 협력을 도모함으로써 학교 공동체의 책무성을 확보**할 수 있다. 한편, 학부모 참여의 효과를 극대화하기 위해서는 학부모의 폭넓은 학교 참여를 유도해야 하는데, 그 방법은 다음과 같다. 첫째, 참여 방법을 다양화한다. **학부모들이 손쉽게 학교에 참여할 수 있도록 단체 대화방, 실시간 화상회의 등 온라인 참여 채널을 운영**한다. 둘째, 참여 시간대를 조정한다. **맞벌이 가정 등의 참여 가능 시간대를 조사하고 이를 반영**한다.

MEMO

최원휘 SELF 교육학
미라클모닝 300제
모범답안 해설

VIII

교육사회학

Chapter 02 교육사회학이론 278~285

278 기능론적 관점 ●○○○○

교육사회학이론에 대한 논의를 통해 교육을 통한 사회의 발전을 도모할 수 있다. 안정을 지향하는 사회를 가정하는 기능론을 따르는 A 교사의 관점에 근거할 때 학교의 기능은 다음과 같다. 첫째, **사회화 기능**이다. 학교는 사회에 필요한 인재를 육성하면서 사회의 안정화에 기여한다. 둘째, **인재 선발 및 양성 기능**이다. 학교는 재능 있는 사람을 분류·선발하고 적재적소에 배치하면서 사람이 효과적으로 기능하게 한다. 이러한 기능론의 관점에서 교사의 역할은 다음과 같다. 첫째, **공식적 교육과정에 충실하면서 사회에서 중요한 가치인 민주성·형평성 등의 가치를 전수**한다. 둘째, 사회적 가치가 반영된 규칙과 명확한 판별기준 등에 충실하게 학생을 평가하고 사회의 인재로 거듭날 수 있는 학생을 선별한다.

279 기능론적 관점 ●●●○○

규범교육을 통해 학생을 사회에서 요구하는 인재로 성장시킬 수 있다. 기능론의 대표적인 이론인 드리븐의 규범교육이론에 근거할 때, **규범은 사회적으로 필요한 역량을 포함하고 있으므로 학생들은 이를 학습하면서 사회에서 필요로 하는 인재로 성장할 수 있어 규범교육이 필요**하다고 할 수 있다. 한편, A 교사는 학교에서 습득하는 규범으로 독립성·성취성·보편성 규범을 강조하는데, 이를 습득하기 위한 학교 내 실행방안은 다음과 같다. 첫째, 자신의 일은 스스로 책임져야 한다는 **독립성 규범의 경우 학생이 독립적으로 수행할 수 있는 과제를 부여하고 그 과정을 자기평가하게 함으로써 습득**할 수 있다. 둘째, 노력한 만큼 성취하고 보상받을 수 있다는 **성취성 규범의 경우 학생의 과제수행 결과에 따라 교사가 적절한 보상을 하면서 습득**할 수 있다. 셋째, 동일한 집단의 구성원들은 보편적인 대우를 받는다는 **보편성 규범의 경우 학생에게 협동학습 과제를 부여하고 협동학습의 결과에 대해 집단 보상을 하면서 습득**할 수 있다.

280 갈등론적 관점 ●●○○○

교육사회학 논의를 통해 공교육을 반성하고 혁신할 수 있다. 사회를 경쟁과 갈등이 필연적으로 나타나는 장이라고 보는 갈등론에 근거할 때 학교의 역기능은 다음과 같다. 첫째, **불평등 재생산**이다. 학교는 지배계급의 이익을 종속계급에 내면화시키는 기능을 한다고 본다. 둘째, **순응적 노동자 양성**이다. 학교는 지배계급 중심의 사회에 순응하는 노동자를 육성한다고 본다. 이에 따라 일리치를 비롯한 탈학교론자들은 학교의 대안으로서 교육 네트워크를 제안한다. 교육 네트워크의 특성은 다음과 같다. 첫째, **학습자라면 누구나 학습에 필요한 자료에 쉽게 접근할 수 있도록 자료망**이 구축되어 있다. 둘째, **학습자가 자신이 원하는 전문가·준전문가들을 쉽게 만날 수 있도록 교육자망**이 구축되어 있다.

281 갈등론적 관점 ●●●●○

교육사회학 연구를 활용하여 학교에서 이루어지는 교육활동을 면밀하게 분석할 수 있다. 제시문의 전문가는 학교를 통해 지배집단의 문화자본이 재창조된다고 언급하고 있는데, 이에 대해 부르디외는 먼저 문화자본을 다음과 같이 유형화한다. 첫째, **아비투스적 문화자본**이다. 이는 개인의 내면에 축적된 습성으로, **가정환경에서 자연스럽게 습득한 언어 구사력**을 예로 들 수 있다. 둘째, **객관화된 문화자본**이다. 이는 물리적 형태로 존재하는 문화적 재산으로, **가정에 비치된 도서·악기·미술품** 등을 예로 들 수 있다. 셋째, **제도화된 문화자본**이다. 이는 제도적 인증을 받은 자격이나 학위로, **학교 졸업장이나 전문 자격증** 등을 예로 들 수 있다. 부르디외는 이러한 문화자본이 상징적 폭력을 통해 재생산된다고 보는데, 이러한 상징적 폭력이 학교 내에서 발현한 사례로는 **교사가 표준어를 구사하지 못하는 학생에게 무의식적으로 낮은 기대를 가지고 대하거나, 문화적 배경이 다른 학생을 비공식적으로 배제하는 상황을 통해 지배계층의 문화가 우월하다는 것을 학습시키는 것**을 제시할 수 있다.

282 미시적 관점 ●●○○○

교육사회학 이론을 활용하여 교사와 학생 간 상호작용을 활성화할 수 있다. 교사의 유형을 조련사형, 연예인형, 낭만가형으로 구분하는 하그리브스에 따를 때 유형별 학급 경영 방식은 다음과 같다. 첫째, 교사의 지시를 강조하는 **조련사형 교사는** 교사가 설정한 **명확한 규칙과 교사 중심의 지시를 통해 학급을 경영**한다. 둘째, 학생을 친구처럼 대하는 **연예인형 교사는 학생들이 학급 활동에 흥미를 느낄 수 있도록 다양한 학급 행사를 개최**하면서 학급을 경영한다. 셋째, 학습자의 자기 주도성을 강조하는 **낭만가형 교사는 학생들이 스스로 학급 규칙을 수립하고 역할을 배분하는 활동을 확대**하면서 학급을 경영한다.

283 미시적 관점 ●○○○○

교육사회학 이론을 활용하면서 학력 격차 완화 방안을 논의할 수 있다. 번스타인은 사회언어분석을 통해 **학생 간 언어의 차이가 학력 격차를 발생시키는 원인**이라고 보는데, 그에 따르면 **노동계급의 학생들은 제한된 어법을 사용하지만, 공식적 교육과정이나 수업에서는 중상류계급이 사용하는 정교화된 어법을 사용**한다. 한편, B 교사는 학업 성취에 영향을 줄 수 있는 요인으로 가시적 교수법과 비가시적 교수법을 언급하고 있는데, 두 교수법의 실행방안은 다음과 같다. 첫째, 지식의 전달과 성취를 강조하는 **가시적 교수법은 교사가 중요한 학습내용에 대해 일방향으로 설명하는 강의식 수업으로 실행**한다. 둘째, 지식의 획득과 활용을 강조하는 **비가시적 교수법은 학생들이 실생활 주제에 대해 탐구하고 학습 내용을 직접 경험하는 팀 프로젝트 활동, 체험활동 수업으로 실행**한다.

284 미시적 관점 ●●○○○

교육사회학 이론을 활용하면서 교사와 학생 간 상호작용을 이해할 수 있다. A 교사는 교사와 학생 간 상호작용을 이해하기 위해 맥닐의 방어적 교수법을 강조하고 있다. 교사가 방어적 교수법을 사용하는 이유는 **학급 내 규율과 질서를 유지하고자 학생들의 반응을 최소화하기 위함**이라 할 수 있다. 이러한 방어적 교수법의 사용 예시는 다음과 같다. 첫째, **단편화로**, 관련된 여러 주제들의 복합적인 관계를 설명하지 않고 분절적으로 개념만 가르치는 것을 예로 들 수 있다. 둘째, **신비화로**, 논란의 여지가 있거나 복잡한 주제를 학생들은 알지 않아도 되는 것처럼 이야기하는 것을 예로 들 수 있다. 셋째, **생략으로**, 가르치는 내용이 시험에 나오지 않으니까 넘어가는 것을 예로 들 수 있다.

285 미시적 관점 ●●●●○

교육사회학 이론을 활용하면서 학생 성장에 영향을 미치는 교사의 역할을 논의할 수 있다. 학생에 대한 교사의 구분이 학업성취에 영향을 미친다는 케디의 학생범주화 이론에 따르면, 교사가 학생을 분류할 때 사용하는 기준은 다음과 같다. 첫째, **학생의 시험점수와 같은 학업성취 수준**을 기준으로 학생을 우열반으로 편성한다. 둘째, **부모의 사회경제적 지위(SES), 학생의 언어능력 등 사회적 배경**을 기준으로 모둠활동을 구성한다. 그러나 이러한 범주화는 학생 성장에 부정적 영향을 미칠 수 있는데, 첫째, **인지적 성장** 측면에서 성취수준에 따른 분류는 **성취에 대한 교사의 고정적 기대를 강화하여 학생의 자기효능감을 저하**시키고 실제 학업성취의 저하로 이어지게 한다. 둘째, **정의적 성장** 측면에서 특정 범주에 속한 학생들이 다른 범주에 속한 학생들과의 거리감을 형성하면서 다른 집단에 대한 배타적 태도를 형성할 수 있다.

Chapter 03 교육과 평등 286~290

| 본책 p.180 |

286 학력 상승

최근 사교육비가 눈에 띄게 상승하였는데, 그 이유는 다양하게 제시할 수 있다. 제시문의 보고서에서는 기술기능이론과 지위경쟁이론을 활용하는데, 이에 따른 구체적인 사교육비 상승 이유는 다음과 같다. 첫째, **기술기능이론에 근거할 때, 4차 산업혁명, AI 기술의 발달이라는 현실에서 직업 환경에 대응하기 위해서 사교육이 확대**된다고 할 수 있다. 둘째, **지위경쟁이론에 근거할 때 한정된 재화와 좋은 직업을 획득하기 위한 경쟁에서 승리하기 위해 사교육이 확대**된다고 할 수 있다. 한편, 보고서에서는 사교육비 절감 대책 중 하나로 제시된 학교 예술교육을 분석하고자 한다. 이 정책에 대한 **긍정적 평가**로는 학교 예술교육 확대 시 **기존의 정규 음악·미술 교과 교육보다 더 발전한 예술 기능을 함양**할 수 있다는 것을 제시할 수 있지만, **부정적 평가**로는 학교 예술교육 확대를 통해 **남들보다 우위에 설 수 있는 사람은 한정적이므로 실질적 사교육비 억제에는 한계가** 있다는 것을 제시할 수 있다.

287 교육 평등론

교육사회에 대한 논의를 통해 교육 평등을 실천할 수 있다. 교육 평등에 관한 콜맨리포트는 학생 학업 성취에 가장 큰 영향을 미치는 요소로 **학생의 가정 배경**을 제시한다. 즉, 가정의 사회경제적 지위와 학생에 대한 관심 등이 학업성취에 가장 큰 영향을 미친다고 본다. 이러한 요소를 고려했을 때 결과의 평등을 달성하기 위한 교육적 조치는 다음과 같다. 첫째, **가정에서 지원받기 어려운 교육 물품을 지원**한다. 예를 들어, 태블릿 PC, 인터넷 통신비를 지원하여 에듀테크 활용 교육이 강조되는 상황에서도 교육 평등을 실현할 수 있게 해준다. 둘째, **가정에서 해주지 못하는 진로지도·학업지도를 실시**한다. 예를 들어, 학생 진로상담, 학업계획서 작성 및 상담을 통해 개별 맞춤형 지도가 될 수 있도록 지원한다.

288 교육 평등론 ●●●●●

다양한 사회제도를 통해 교육 평등을 실천할 수 있다. 교육 평등의 관점은 크게 허용적·보장적·조건적·결과적 평등관으로 구분되는데, 각 제도에 반영된 교육 평등의 관점은 다음과 같다. 첫째, **제도 1은** 학생 선발 시 지역 간 격차를 최소화하는 **지역균형선발제도로, 교육 평등관 중 교육의 결과를 일치시켜주는 결과적 평등관**이 반영되었다. 둘째, **제도 2는** 경제적 여건으로 방과후학교를 수강하지 못하는 것을 방지하는 **방과후학교 자유수강권제도로, 경제적 여건으로 인해 교육받을 권리가 박탈되지 않도록 하는 보장적 평등관**이 반영되었다. 한편, 각 제도를 운영할 때 유의점은 다음과 같다. 첫째, **제도 1의 경우 지역 간 역차별이 발생하는 것에 유의**하여, 지역별 할당을 합리적으로 설정할 필요가 있다. 둘째, 제도 2의 경우 수강권 부여 대상자가 공개되면 대상 학생의 심리정서상 위기가 발생할 수 있음에 유의하여, 대상자 및 신청 결과에 대한 비공개 원칙을 준수해야 한다.

289 기초학력 보장 ●●○○○

종합적 분석과 지원방안을 모색하면서 기초학력을 보장할 수 있다. 기초학력 저하를 유발하는 요인은 다음과 같다. 첫째, **학습자의 능력 측면에서 낮은 인지적 능력 또는 낮은 학습 동기**, 둘째, **학습자의 환경 측면에서 학습에 비친화적인 가정환경** 등을 제시할 수 있다. 따라서 기초학력 보장을 위해서 학습 저해 요인의 진단과 학습자별 맞춤형 처방이 필요하다. 기초학력 보장을 위한 구체적 지원방안은 다음과 같다. 첫째, **진단의 측면에서 학교 내에서는 우선 교사가 학생을 관찰하고 면담한 후, 학습지원대상 학생 협의회와 같은 교사협의체를 구성**하여 학습자의 학습을 저해하는 요인을 분석한다. 둘째, **처방의 측면에서 학교 내 보충학습을 제공하거나 외부 학습종합클리닉센터와 연결하여 전문적 보충학습 프로그램을 제공**할 수 있다.

290 기초학력 보장 ●●●○○

학부모와의 협력을 통해 학생들의 기초학력을 보장할 수 있다. 「기초학력보장법」상 '기초학력'이란 **학교 교육과정을 통하여 갖추어야 하는 최소한의 성취기준을 충족하는 학력**을 의미한다. 이러한 기초학력을 갖추지 못하였다고 판단하여 선정한 학생을 '학습지원대상 학생'이라고 하는데, 선정에 관해 대상 학생의 학부모에게 안내할 때 유의점은 다음과 같다. 첫째, **학부모가 선정결과에 대해 오해하지 않도록, 어떤 진단도구를 활용해 어떤 부분에서 학습지원이 필요한지 정확하게 안내**한다. 둘째, **학부모가 낙심하여 학생에 대해 부정적 기대를 형성하지 않도록, 추후 학교에서는 어떤 후속 조치를 취할지 절차와 시기 등을 안내**한다.

Chapter 04 교육과 경쟁 291~293

291 교육선발과 시험 ●●●●○

시험에 대한 이해와 평가를 바탕으로 보다 나은 교육을 고민할 수 있다. 학생을 평가하고 선발하는 시험은 **경쟁을 촉진하고, 우수한 사람을 선발하여 사회를 발전시킨다는 순기능**이 있지만, 학생들에게 **시험 스트레스를 유발하고 시험을 위해서만 공부해야 한다는 부정적 학습태도를 형성한다는 역기능**이 있다. 한편, 최근의 입시제도에서는 학생의 성장과정 등을 평가하는 학생부종합전형 제도가 실시되고 있는데, 기능론과 갈등론의 관점에서 학생부종합전형 제도를 평가하면 다음과 같다. **기능론의 관점에서 학생부종합전형은 사회변화에 맞추어 사회에서 필요로 하는 인재를 융통성 있게 선발해주는 역할을 한다는 점에서 긍정적으로 평가**할 수 있다. 반면, **갈등론의 관점에서는 학생부종합전형에는 부모의 경제적 기반이 영향을 미치고, 제도 그 자체에 사회 지배계급의 이익이 반영되었다는 점에서 부정적으로 평가**할 수 있다.

292 학업성취 격차 ●●●●○

학습격차와 교육평등에 대한 논의를 통해 에듀테크를 활용한 교육의 성공을 도모할 수 있다. 에듀테크를 활용한 교육에서도 학습격차가 나타날 수 있는데, 이때 학습격차가 발생하는 원인은 다음과 같다. 첫째, **학교 내적인 측면**에서 **컴퓨터 활용 능력 등 교사의 에듀테크 활용 역량의 차이에 따라 학습격차가 발생**할 수 있다. 둘째, **학교 외적인 측면**에서 **새로운 교육에 관한 부모의 관심도가 학생의 학습 참여와 동기에 영향을 미쳐 학습격차를 발생**시킬 수 있다. 이러한 학습격차를 완화하기 위한 방안을 조건적 평등의 관점에서 제시한다면 다음과 같다. 첫째, **교사의 에듀테크 활용 역량 함양을 위한 연수를 실시**한다. 이를 통해 학교 간의 차이를 최소화할 수 있다. 둘째, **중앙 차원의 학부모 연수 프로그램을 통해 에듀테크 활용 수업에 관한 학부모의 관심도**를 높인다. 이를 통해 학부모별 관심도 차이를 최소화할 수 있다.

293 학업성취 격차 ●●○○○

학업성취 격차를 줄이기 위해 가정적 요인을 확인하고 교실 내에서 이를 보충해줄 필요가 있다. 학업성취 수준에 영향을 주는 가정 내의 사회적 자본은 다음과 같다. 첫째, **가정 내 사회적 자본으로서 부모의 학습지원, 자녀에 대한 기대**가 있다. 학생에 대한 부모의 관심과 기대가 높을수록 학업성취에 긍정적 영향을 미친다. 둘째, **가정 외 사회적 자본으로서 부모의 대외적 관계로부터 얻는 정보의 차이**이다. 부모의 친구 관계, 직업 등에서 비롯된 교육에 대한 정보 차이가 학업성취 수준에 영향을 미친다. 이를 고려했을 때 학업성취 격차를 최소화할 수 있는 학교 차원의 지원 방안은 다음과 같다. 첫째, **학부모 상담을 통해 학생에 대한 부모의 기대와 관심 수준을 제고**한다. 둘째, **학교 온·오프라인 커뮤니티를 통해 입시, 학습지도와 관련한 정보 제공을 활성화하여 교육에 관한 정보격차를 최소화**한다.

Chapter 05 교육과 문화 294~296

294 비행이론 ●●○○○

학생의 비행을 최소화하면서 학생들의 바람직한 성장을 유도할 수 있다. 비행을 최소화하기 위해서 먼저 학생의 비행 원인을 분석할 필요가 있는데, A 학생의 비행 원인을 이론적으로 분석하면 다음과 같다. 첫째, **차별적 접촉이론의 관점에서 A 학생이 비행 경험이 있는 B 학생을 모방하면서 비행이 발생**하였다. 둘째, **낙인이론의 관점에서 교사가 A 학생을 비행학생으로 낙인 찍으면서 A 학생의 자기지각에 영향을 미치고 학생은 계속해서 비행**하게 되었다. 이런 상황에서 비행을 최소화하기 위한 교사의 학급경영 전략은 다음과 같다. 첫째, 모방을 통해 비행이 발생될 것이 예상되는 경우, **학급 내 자리 배치나 소집단 편성 시 학생들의 성향 등을 고려하고 교사가 지속적으로 비행학생에 관심**을 가진다. 둘째, 기존에 비행을 했던 학생이 학급에 있는 경우, 기존 비행 사건에만 집중하고 그것이 이후 관련 없는 다른 비행으로 이어질 것이라는 성급한 해석을 자제하여 낙인을 찍지 않도록 한다.

295 비행이론 ●●○○○

학생의 일탈 행동을 예방하면서 모두가 성장하는 학교 공동체를 형성할 수 있다. 사회통제이론에서는 공동체 내에서의 애착, 공동체 활동에 대한 전념과 참여, 공동체의 규범에 대한 신념 등 사회적 유대가 형성되면 학생의 일탈이 예방된다고 본다. 이를 바탕으로 학생의 일탈을 예방하기 위한 구체적 실행방안은 다음과 같다. 첫째, **교사·학생이 함께하는 진로체험 프로그램 등 사제동행 프로그램을 통해 교사와 학생 간에 애착이 형성**되도록 한다. 둘째, **학생자율활동, 동아리활동 등 수업 외에 학생이 참여할 수 있는 프로그램을 다양화하여 학생들이 공동체 내에서 다양한 역할에 전념**하도록 한다. 셋째, **학급 회의를 통한 규칙 설정, 일탈행위에 대한 모의재판 등을 통해 규칙에 대한 신념을 형성**하도록 한다.

| 296 | 비행이론 ●○○○○

학습자를 실제적으로 변화시키기 위해 실천중심의 학교폭력 예방교육을 실시할 수 있다. 기존 학교폭력 예방교육은 일회성의 강의식 중심으로 이루어져 **인지적 측면에만 강조를 두었고, 이로 인해 실질적인 행동변화를 유도하는 데 한계가 있었다는 것을** 문제점으로 들 수 있다. 이를 극복하기 위한 실천중심의 학교폭력 예방교육은 다음과 같다. 첫째, **학교폭력 관련 역할놀이를 통해 피해자와 가해자의 감정을 이해해보면서 학교폭력 감수성을 확보**할 수 있도록 한다. 둘째, **투게더 프로젝트와 같은 학교 예술교육을 활성화하여 공동의 목표를 달성하는 과정에서 공동체감을 형성**할 수 있도록 한다.

Chapter 06 평생교육 297 ~ 300

| 본책 p.187 |

297 평생교육

교육에 대한 국가의 책무성 확대는 평생교육으로까지 이어진다. 평생교육이 필요한 이유는 다음과 같다. 첫째, 의료기술의 발달로 **수직적 차원에서 국가가 책임져야 하는 고령층이 증가했기 때문에 인생 2, 3모작을 위해 평생교육이 필요**하다고 볼 수 있다. 둘째, 지식정보화의 촉진으로 **수평적 차원에서 교육 방식과 교육 공간이 확대되었기 때문에 평생교육이 필요**하다고 볼 수 있다. 한편, 최근 강조되는 평생교육은 학교의 모습까지 변화시키고 있다. 예를 들어, **최근 증가하는 지역 소규모학교를 방과후나 방학 중에 평생교육 기관화하여 지역민에게 교육 장소로 개방**하기도 한다.

298 평생교육

평생교육을 통해 교육을 통한 지속적 성장을 도모할 수 있다. 평생교육의 원리는 다음과 같다. 첫째, **전체성**이다. 평생교육은 학교 안에서의 교육뿐 아니라 학교 밖에서의 교육에도 정통성을 부여한다. 둘째, **자기주도성**이다. 평생교육은 개인의 자발적인 필요에 의해서 학습 내용과 시기를 결정한다. 평생교육의 실천원리를 제시한 들로어 보고서에서는 존재하기 위한 학습을 강조하는데, 이는 평생교육이 그 어떤 목표보다도 **지속적인 개인의 자아실현이라는 궁극적 목적을 추구해야 한다는 것을 나타낸 것이라** 할 수 있다.

299 다문화교육 ●○○○○

다문화교육의 변화를 통해 글로벌 감수성을 지닌 학생을 육성할 수 있다. 다문화교육과 관련하여 크게 동화주의적 접근방법과 다문화주의적 접근방법이 있는데, 다문화사회에서 각 집단의 문화를 한데 모아 용광로에 넣어 녹이듯 하나의 문화로 만든다는 용광로 이론에 근거한 기존의 동화주의적 접근 방법이 갖는 한계는 다음과 같다. 첫째, **다양한 문화의 고유성과 가치를 인정하지 않아 학생들이 문화적 편향성**을 갖게 한다. 둘째, **소수문화 학생들은 자신의 뿌리와 주류 사회의 기대 사이에서 갈등과 혼란을 경험하고 정체성 형성에 악영향**을 받는다. 따라서 사회구성원들이 상호공존하며 각각이 색깔과 향기를 지니고 조화로운 통합을 이룬다는 샐러드 볼 이론에 근거한 다문화주의적 접근 방법을 실천할 필요가 있는데, 이를 실천한 구체적 교육활동은 다음과 같다. 첫째, **월 1회 다문화데이를 실시하여 다문화 음식을 체험하거나 다문화 복장을 입는 행사**를 진행할 수 있다. 둘째, **다문화가정 학부모를 초청하여 해당 국가의 문화·역사에 대한 일일 특강**을 실시할 수 있다.

300 다문화교육 ●○○○○

다문화가정의 학생들이 경험할 수 있는 교육적 결손은 다음과 같다. 첫째, **인지적 측면에서 언어적 결손**이다. 가정의 언어와 학교의 언어에 차이가 있는 경우 학습자는 교육내용을 이해하기 어렵고 이는 곧 학업성취 저하로 이어질 수 있다. 둘째, **정의적 측면에서 사회성 결손**이다. 학생이 다른 학생들의 편견 등에 따라 왕따와 같은 학교폭력의 피해자가 되는 경우 학교생활에 대한 동기부여가 어렵게 된다. 이를 해결하기 위한 학교 차원의 지원방안은 다음과 같다. 첫째, **방과후시간에 학부모와 함께 하는 언어 공동 프로그램**을 실시하여 언어적 결손을 최소화한다. 둘째, **역할 놀이를 통해 서로 역할을 바꿔가며 포용력**을 높이고 사회성 결손을 최소화한다.

MEMO

최원휘 SELF 교육학

미라클모닝 300제
모범답안 해설

제1판발행 | 2023. 7. 15.　**제2판인쇄** | 2025. 7. 1.　**제2판발행** | 2025. 7. 7.　**저자** | 최원휘
발행인 | 박 용　**발행처** | (주)박문각출판　**등록** | 2015년 4월 29일 제2019-000137호
주소 | 06654 서울특별시 서초구 효령로 283 서경 B/D　**팩스** | (02)584-2927
전화 | 교재 문의 (02) 6466-7202, 동영상 문의 (02) 6466-7201

저자와의
협의하에
인지생략

이 책의 무단 전재 또는 복제 행위는 저작권법 제136조에 의거, 5년 이하의 징역 또는 5,000만 원 이하의 벌금에 처하거나 이를 병과할 수 있습니다.

ISBN 979-11-7262-904-5 | ISBN 979-11-7262-902-1(Set)
정가 26,000원(분권 포함)